DREIGIO

ALASTAIR CHISHOLM

Tomos a Cenhaearn

Addasiad gan Llŷr Titus

Cyhoeddwyd gyntaf yn y DU yn 2022 gan Nosy Crow Ltd.,
The Crow's Nest, 14 Baden Place, Crosby Row, London SE1 1YW

Testun © Alastair Chisholm, 2022

Clawr a darluniau'r tu mewn © Eric Deschamp, 2022

Cyhoeddwyd gyntaf yn Gymraeg gan Rily Publications Ltd.,
Blwch Post 257, Caerffili CF83 9FL
www.rily.co.uk

Hawlfraint yr addasiad © 2022 Rily Publications Ltd

Addasiad: Llŷr Titus

Mae'r cyhoeddwr yn cydnabod cefnogaeth ariannol Cyngor Llyfrau Cymru.

ISBN: 978-1-80416-245-3

Argraffwyd a rhwymwyd yn y DU

CYMYSGEDD
O ffynonellau cyfrifol
FSC® C171272

YNG NGWLAD DRACONWYS, DOES DIM DREIGIAU'N BOD

Mi fuodd yna rai ers talwm. Amser maith yn ôl, roedd pobl a dreigiau'n ffrindiau ac yn amddiffyn eu gwlad ar y cyd. Roedden nhw'n gryf ac yn ddoeth ac fe greon nhw ddinas fawr Creigfa gyda'i gilydd.

Ond yna, fe ddigwyddodd brwydr enbyd y Dreigio, a chiliodd y dreigiau o fyd pobl. Ymhen amser, doedd dreigiau'n fawr mwy na chwedl i drigolion Draconwys.

Ac felly, erbyn hyn, does yna'r un ddraig yno ...

... neu felly roedd pawb yn ei feddwl.

TOMOS

Gweithiodd Tomos y meginau gan chwythu gwynt i grombil y tân nes oedd o'n tywynnu'n felyn ffyrnig. Wrth ei ochr, morthwyliai ei dad ddarn hir o fetel. Symudai'n gyflym, gan ddal y darn efo gefel. Tasgai gwreichion dros bob man gyda phob swadan.

"Barod, Tomos?" rhuodd Tada.

"Barod!" gwaeddodd Twm.

Hyrddiodd Tada'r metel i'r tân gan anwybyddu poeri'r fflamau. Cadwodd o yno nes iddo feddalu a dechrau sgleinio'n oren cyn ei dynnu a'i golbio

fo eto ar ei ochrau nes oedd o'n siâp cleddyf.

Roedd Twm yn cael trafferth anadlu yn y gwres.

"Tendia rŵan!" rhybuddiodd Tada. Cododd y cleddyf a'i suddo'n ddwfn i'r cafn dŵr nes oedd HISSSSSSSSSSSS ffyrnig a stêm yn llenwi'r efail. Byrlymodd y dŵr a thasgu dros bob man. Yna, tynnodd Tada'r cleddyf o'r cafn a'i osod ar resel wrth ymyl y tân.

"Dyna ni," meddai gan sychu'i dalcen. "Mi adawn ni i hwnna galedu ac mi fydd o'n barod i ni roi sglein arno fo. Go dda, was."

Tomos a Cenhaearn

Gwenodd Twm fel giât. Roedd ei wyneb o'n boeth a'i freichiau'n brifo, ond roedd wrth ei fodd yn helpu yn yr efail. Doedd dim yn well ganddo na gweld sut byddai o a Tada'n dechrau arni gyda lympiau hyll o fetel a'u troi nhw'n daclau, yn bedolau neu'n gleddyfau. Edrychodd Tada ar y rhesel lle'r oedd wyth cleddyf yn gorwedd yn braf, a nodio'n fodlon.

"Neith hi ginio, siawns."

Aeth Tada ati i baratoi bwyd wrth i Twm osod y bwrdd. Wrthi'n gorffen oedd o pan ddaeth Mam adref o'r farchnad.

"Am olwg sy arnoch chi!" dwrdiodd. "Yn huddyg i gyd yn y gegin a honno'n lân. Shŵ!"

"Ddrwg gen i!" meddai Tada "Tyrd, awn ni i folchi." Gwasgodd heibio i Mam gan roi sws fawr iddi a rhwbio huddyg dros ei hwyneb i gyd.

Wfftiodd Mam. "Allan! Allan! Neu mi fyddwch chi'n cael eich cinio efo'r mochyn!"

Chwarddodd y ddau wrth fynd at y pwmp dŵr i folchi cyn mynd yn ôl i'r gegin.

"Sut oedd hi tua'r farchnad?" holodd Tada gan sglaffio darn o fara. Ochneidiodd Mam.

"Distaw. Mae'r Brenin Gwgon wedi codi'r dreth ar wenith unwaith eto. Mi oedd Margiad Brewys yn dweud mai'r dreigiau ydi'r drwg, yn llosgi'r cynhaeaf."

Grwgnachodd Tada. "Falla'i fod o eisiau mwy o bres i godi tŵr arall yn ei balas o."

"Taw," meddai Mam gan daflu cip at Twm. "Cadwa dy farn am bethau fel 'na i chdi dy hun, Emlyn." Tynnodd Tada ystumiau ond atebodd o ddim.

"Oes 'na ddreigiau go iawn?" holodd Twm.

Ochneidiodd Tada. "Amser maith yn ôl,"

atebodd. "Roedden nhw ar draws y deyrnas, ac yma yng Nghreigfa hefyd."

"Roedden nhw'n ofnadwy," meddai Mam. "Yn anferthol! Ac yn chwythu tân i bob man! Roedd hi'n hen oes wyllt."

"Ond mi oedd hynny ganrifoedd yn ôl," meddai Dad. "A does yna'r un ddraig wedi bod yng Nghreigfa ers mil o flynyddoedd, reit siŵr."

Gwgodd Twm. "Os nad oes dreigiau yma, pam ein bod ni'n gwneud dreig-gleddau, 'ta?"

"Y brenin sy'n mynnu, rhag ofn y dôn nhw'n ôl," atebodd Tada gan godi'i ysgwyddau, "sy'n newyddion da i ni! Digon prin ydi gwaith fel arall. Mi dalith yr aur o'r archeb yma am fwyd i ni nes daw'r gwanwyn."

Gorffennodd ei ginio gan sychu'i blât gyda chrystyn.

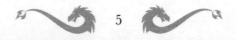

5

"Tyrd i ni gael ailafael ynddi, Tomos. Mi fydd yr hen Gapten Hwrch 'na yma i'w casglu nhw fory."

Roedd yr efail wedi oeri bellach, ond ar ôl croesi'r iard o'r tŷ drwy wynt main y gaeaf, roedd hi'n teimlo'n ofnadwy o boeth. Tynnodd Tada'r cleddyfau o'r rhesel. Doedd ganddyn nhw ddim handlenni eto ac roedden nhw'n ddu ag ymylon garw. Aeth Twm a Tada ati i weithio.

Gosododd Tada'r handlenni, a hogodd Twm y llafnau gyda charreg hogi arbennig, gan daflu gwreichion i bob man. Crafodd yr ymylon garw i ffwrdd nes oedd y cleddyfau'n llyfn ac yn finiog. Roedd gan y metel batrwm rhyfedd a droellai i bob man, fel olew. Yn ôl Tada, roedd hynny am ei fod o'n rhoi

Tomos a Cenhaearn

cynhwysyn cyfrinachol yn y mwyn, a oedd yn eu gwneud nhw nid yn unig yn gleddyfau, ond yn ddreig-gleddau, oedd yn gallu torri drwy groen draig.

Rhoddodd Twm y cleddyfau'n ôl fesul un yn ofalus ar y rhesel. Wrth iddo estyn am yr un olaf, ciledrychodd tua'r efail a dychryn am ei fywyd.

Roedd wyneb yn y tân!

Hongiai wyneb hir ymysg y fflamau fel cysgod, yn dywyll ac yn crynu i gyd. Doedd o ddim fel wyneb person; roedd o'n hirach ac yn esgyrnog gyda chrib ar ei ben a'i lygaid fel dau gylch o dân.

Syllodd Twm arno fel petai mewn breuddwyd. Roedd y llygaid yn llosgi! Agorodd ceg yn yr wyneb gan ddangos rhesi o ddannedd milain, miniog.

"Tomossss," hisiodd yr wyneb.

Syllodd Twm yn gegrwth.

"Bydd yn barod, Tomosssss ..."

"Tomos! Twm, be ti'n wneud?"

Edrychodd Twm ar Tada, a gweld bod golwg
bryderus arno.

"Ti'n iawn, was?"

"Mi ... mi ..." Syllodd Twm i'r efail danllyd eto, ond doedd dim byd yno. "Mi oeddwn i'n meddwl 'mod i wedi gweld rhywbeth," mwmialodd.

Gwenodd Tada. "Mae hi wedi bod yn ddiwrnod hir heddiw. Mi wnawn ni orffen fory, dwi'n meddwl."

Nodiodd Twm ac aeth y ddau am eu swper.

Y noson honno yn ei wely bach, meddyliodd Twm am yr wyneb. Y pen esgyrnog, a'r dannedd miniog. A'r llygaid ...

Deffrodd yn y tywyllwch yn sydyn. Yna chwarddodd wrth feddwl fod ganddo'r fath ddychymyg a chysgodd yn ei ôl.

Gorffennodd Tada a Twm y cleddyf olaf fore trannoeth. Edrychodd Twm tuag at y fflamau sawl gwaith ond doedd dim byd yno, dim ond

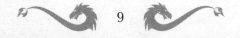

pren yn clecian a'r colsys gwynias. Daliodd y cleddyf yn ei law ac edrych arno'n sgleinio.

Cymerodd Tada olwg fanwl arno. "Da iawn wir, was. Tyrd i ni gael gorffen reit handi – mi fydd Capten Hwrch yma ymhen dim."

Aeth y ddau ati i bacio'r cleddyfau mewn cratiau wrth y drws. Wrth i Tada fynd allan, edrychodd Twm unwaith eto ar y tân – ac roedd yr wyneb yno! Yn glir, yn dywyll ac yn ffyrnig, efo llygaid llawn fflamau ...

"Bydd yn barod, Tomossss," hisiodd eto. "Mae o yma ..."

"Tomos!" rhuodd Tada. "Siapia hi! Mae o yma!"

CAPTEN
HWRCH

"Mae o yma!" gwaeddodd Tada eto. "Tomos?"

Neidiodd Twm. Edrychodd yn ôl at yr efail ond roedd yr wyneb wedi diflannu. Beth oedd yn digwydd? Ysgydwodd ei ben a brysio allan i'r buarth lle'r oedd Capten Hwrch yn aros.

Pennaeth Gwarchodwyr y Brenin oedd Capten Hwrch. Gwisgai fresblad grand a thiwnig borffor oedd yn bochio dros ei ganol, ac ar ei ben roedd helmed a phluen fawr goch arni. Roedd golwg flin ar ei wyneb

 11

pinc, chwyslyd. Eisteddai ar geffyl brown, tenau rhwng dau filwr, a safai dyn ifanc efo nhw mewn gwisg o ddillad du. Yn yr oerni, roedd eu hanadl nhw'n stemio.

Camodd Tada yn ei flaen i'w cyfarch. "Bore da ..."

"Ble mae fy nghlefydde i?" torrodd Capten Hwrch ar ei draws. Roedd ganddo lais cras, cwynfanllyd, fel dafad flin.

Moesymgrymodd Tada. "Dacw nhw, syr." Gwyddai Twm yn iawn fod Tada wedi gwylltio ond roedd yn ceisio'i orau i fod yn gwrtais.

Aeth Twm ati i estyn y cratiau, ond daliodd Hwrch ei law i fyny.

"Fe ga i olwg arnyn nhw yn gyntaf," arthiodd. "Arian y Brenin Gwgon ei hun ydi hwn, wyddoch chi. Fyddwn ni ddim

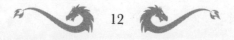

yn talu am unrhyw hen sothach."

Tasgodd llygaid Tada. "Wrth gwrs, syr."

Baglodd Hwrch oddi ar ei geffyl, a'i ben-ôl helaeth yn siglo'n ôl a blaen wrth iddo geisio cyrraedd y llawr. "Dangos i mi."

Tynnodd Twm gleddyf o'r crât. Wrth iddo wneud, teimlodd rywbeth rhyfedd. Roedd o ... roedd o bron fel petai'n gallu gweld yr wyneb yn y tân eto, ond yn ei ben yr oedd o'r tro hwn, yn arnofio o'i flaen. Yn sydyn, teimlai handlen y cleddyf yn annifyr o laith yn ei law. Roedd y patrwm ar y llafn yn edrych yn sinistr ac yn fygythiol fel, fel ...

"Dere, fachgen!" poerodd Hwrch.

Daeth Twm ato'i hun a chynnig y cleddyf iddo. Rhoddodd Hwrch ambell chwifiad i'r cleddyf, ac aeth i gymaint o

hwyl nes bron iddo fynd ar ei hyd ar lawr. Y tu ôl iddo, gwenodd y ddau filwr ar ei gilydd yn slei. Gwgodd Capten Hwrch.

"Wel, wn i ddim, wir," meddai. "Maen nhw braidd yn dila, ddwedwn i." Trodd at Twm. "Cymer un arall. Gad i mi dy weld di'n ymladd."

"Syr!" gwaeddodd Tada cyn brathu'i

dafod. "Byddwch ... yn ofalus."

"O, paid â swnian!" chwarddodd Hwrch. "Dwi'n hen law arni – fydd y bachgen ddim gwaeth."

Ochneidiodd Tada a nodio. Dadbaciodd Twm gleddyf arall. Roedd hwn yn teimlo'n annifyr hefyd.

"Dere, 'de!" meddai Hwrch.

Cododd Twm y cleddyf a llamodd Hwrch ato'n syth. Neidiodd Twm o'r ffordd ac aros ar ei draed yn gadarn. Anelodd y capten glamp o ergyd at Twm, a bu'n rhaid iddo godi ei lafn i'w amddiffyn ei hun. Atseiniai'r metel yn uchel. Roedd y cleddyfau'n ysgafn ac yn gryf â chydbwysedd da. Trawodd Hwrch gleddyf Twm eto a bownsio am yn ôl. Rhegodd wrth i'w helmed lithro dros un llygad. Doedd Capten Hwrch yn fawr o gleddyfwr, meddyliodd Twm.

Hyrddiodd Hwrch yn ei flaen eto a blociodd Tom o, ond wrth wneud, edrychodd ar y patrwm seimllyd ar y llafn a rhuodd yr wyneb yn ei ben. Neidr oedd hi! Neidr yn hisian a throelli o gwmpas y llafn!

Gollyngodd Twm y cleddyf mewn braw. Ymosododd Capten Hwrch, gan wasgu'i lafn yn erbyn brest Twm. "Ildia, fachgen! Ildia!"

"Mae o'n ildio, syr!" gwaeddodd Tada.

Camodd Hwrch yn ôl gan anadlu'n drwm. "Ie!" chwarddodd. "Buddugoliaeth i mi!"

Anwybyddodd Twm o a syllu ar y cleddyf, a gweld nad oedd dim o'i le arno.

Tomos a Cenhaearn

Doedd dim neidr, dim ond cleddyf, fel y cannoedd roedd o wedi helpu eu gwneud. Mwyaf sydyn, roedd yn gas ganddo'r peth. Roedd hyd yn oed meddwl cyffwrdd ynddo'n afiach. Wrth iddo ei bacio eto yn y crât, roedd fel petai'r cleddyf yn gwingo yn ei law. Gwingodd Twm yntau.

"Wel," meddai Hwrch, "fe wnân nhw'r tro, am wn i. Milwg!" Camodd y dyn tenau mewn gwisg ddu ymlaen a rhoi cwdyn lledr iddo. Taflodd Hwrch o at Tada.

Gwgodd Tada wrth deimlo'r pwysau, yna cyfrodd y darnau bach o aur.

"Tydi hyn ddim yn ddigon," meddai.

Cododd Hwrch ei ysgwyddau. "Mae'r pris wedi newid."

"Ond fe wnaethon ni gytuno arno fo!" ebychodd Tada.

17

Helpodd y ddau filwr Hwrch i godi ar ei geffyl a chrechwenodd i lawr ar Tada. "Rydych chi'n lwcus i gael busnes gan y brenin o gwbl, gof," rhybuddiodd. "Dallt?"

Tynhaodd y cyhyrau yn ysgwyddau llydan Tada. Camodd ymlaen yn sydyn. Gwichiodd Capten Hwrch a thynnu'r ceffyl am yn ôl mewn braw; dechreuodd hwnnw igam-ogamu i lawr yr allt.

"Wei!" chwythodd. "Wel, dwi, ym, am adael nawr. Wei!" Aeth y ceffyl yn ei flaen. "Wei! Arafa, yr anifail twp!"

Carlamodd ceffyl Hwrch i ffwrdd. Ciledrychodd y ddau filwr ar ei gilydd cyn codi crât bob un a'i ddilyn. Dilynodd Milwg nhw, ond ar yr ennyd olaf trodd a syllu ar Twm â golwg ryfedd ar ei wyneb ...

Ac yna fe aeth.

Y noson honno bwytodd Twm a'i rieni eu swper heb ddweud gair. Gwyddai Twm fod Mam a Tada yn poeni am yr arian, ond roedd meddwl Twm ar yr wyneb yn y tân.

Beth oedd yn digwydd? Beth oedd y teimlad rhyfedd gyda'r cleddyfau? Wedi i Hwrch adael, roedd Twm wedi dychwelyd i'r efail a chyffwrdd y cleddyfau eraill, ond roedden nhw'n teimlo'n iawn. Dim ond y dreig-gleddau oedd yn teimlo'n rhyfedd ...

Daeth cnoc ar y drws ac aeth Tada i'w agor.

Y gŵr ifanc Milwg oedd yno mewn clogyn tywyll wedi ei lapio'n dynn o'i amgylch.

"Noswaith dda," meddai. "Roeddwn i'n

gobeithio cael gair efo chi."

Gwgodd Tada. "Am beth?" holodd yn ddrwgdybus.

"Mae gen i gynnig i chi," meddai Milwg. "Un a allai helpu'ch teulu." Gwenodd a chymryd cip tuag at Twm. "Mae'n ymwneud â'ch mab."

MILWG

Eisteddai Milwg yng nghadair Twm wrth y
bwrdd a thywalltodd Tada gwpanaid o gwrw
iddo. Safodd Twm yng nghongl yr ystafell
fechan yn gwylio'r dyn diarth. Roedd ganddo
lygaid chwim a chlyfar, a chraith hir arian ar
hyd un ochr o'i wyneb.

"Roeddwn i eisiau ymddiheuro am
ymddygiad Capten Hwrch heddiw," meddai.
Wnaeth Tada ddim ateb. Ddim mwy na
wnaeth Mam.

"Ac am ddweud fy mod i'n edmygu'ch
mab," meddai Milwg wedyn, ac edrychodd

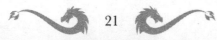

Twm arno mewn syndod. "Ydi o'n gallu darllen ac ysgrifennu?"

"Ydi, syr," atebodd Mam. "A gwneud syms. Mae o'n hogyn clyfar."

"A faint ydi'i oed o?"

"Un ar ddeg."

Nodiodd Milwg. "Mae'n gyfraith gwlad i bob plentyn orfod dysgu crefft erbyn eu bod nhw'n ddeuddeg oed. Beth ydi'ch cynlluniau chi?"

"Mi fydd o'n gweithio yn yr efail efo fi," meddai Tada, "os bydd o eisiau."

Tapiodd Milwg ei gwpan ar y bwrdd yn ysgafn fel petai o'n meddwl.

"Clerc ydw

i," meddai, "cynorthwyydd i'r brenin. Fe hoffwn i gynnig prentisiaeth i'ch mab."

Be? meddyliodd Twm.

"Syr," meddai Mam, wedi ei syfrdanu. "Does gan Tomos ddim hyfforddiant na dim mewn gwaith felly."

Chwifiodd Milwg ei law. "Twt, peidiwch â phoeni am hynny." Gwenodd yn sydyn ar Twm. "Fe gaiff o aros yn y coleg ar Ffordd y Memrwn gyda'r prentisiaid eraill. Mi fydd yn gweithio i mi, ac fe wna i ei hyfforddi o." Rhoddodd wên arall. "Ymhen pum mlynedd, fe fydd o'n aelod o Urdd y Clerciaid."

"O, Emlyn!" ebychodd Mam. Gafaelodd ym mraich Tada. "Clerc!"

Nodiodd Tada. Roedd golwg ddifrifol iawn arno, ond gwyddai Twm ei fod o'n syfrdan hefyd.

Roedd Clerciaid yn bobl bwysig iawn yng ngwlad Draconwys. Roedden nhw'n gweithio i'r brenin yn copïo dogfennau ac ysgrifennu cytundebau. Roedden nhw'n bobl grand, gyfoethog. Dyna fyd na allai Twm ei ddychmygu'n iawn. Mi oedd o'n hoff o ysgrifennu ... Am anhygoel!

Siaradodd Milwg am sbel eto cyn gadael, gan addo dod yn ôl drannoeth.

Wedi iddo fynd, syllodd rhieni Twm ar ei gilydd.

"Wel," meddai Mam wedi gwirioni. Trodd at Twm. "Meddylia!"

Edrychodd Twm arni'n ansicr.

Sylwodd Tada ar ei wyneb. "Be sy?"

Oedodd Twm. "Dwi'n lecio gweithio yn yr efail," meddai.

Gwenodd Tada. "Wn i, was. Ond ...

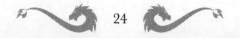

mae bywyd gof yn galed. Mae pres yn brin dyddiau 'ma. Tydan ni ond yn crafu byw wedi mynd. Cawl dyfrllyd, gwlâu gwellt ... Ti'n weithiwr bach da. Mi fyddet ti'n of da. Ond ti'n glyfar hefyd, fel dy fam, ac roedden ni wastad eisiau rhywbeth gwell i ti. Fe allai hyn newid dy fywyd di.'

"Mi ddywedodd Milwg y gallet ti roi cynnig arni am fis a gweld sut aiff hi," meddai Mam. "Os nad wyt ti'n hoffi bod yno, fe gei di ddod adra." Gafaelodd am Twm yn dynn. "Gei di benderfynu."

Aeth pawb i'w gwlâu a gorweddodd Twm yn effro yn y tywyllwch. Gwyddai y dylai fod wedi cynhyrfu. Ond meddyliodd am yr wyneb yn y tân yn ei rybuddio. *Mae o yma. Bydd yn barod.* Doedd Twm ddim yn gwybod pam, ond roedd teimlad rhyfedd ym mhwll

ei stumog, fel petai ...

Fel petai Milwg ddim yn dweud y gwir wrthyn nhw ...

Daeth Milwg yn ei ôl y pnawn wedyn gyda chontract, cwilsen ddu, hir a photyn inc. Arwyddodd Tada, yna Mam ac yn olaf, Twm.

"Dyna ni," meddai Milwg gan wenu ar Twm. "Wyt ti'n barod?"

Doedd yna fawr o ddim i fynd efo fo. Roedd popeth roedd Twm yn berchen arno'n ffitio mewn sachyn bach. Paciodd Mam gacen fêl ynddo a rhoddodd Tada gyllell boced finiog i Twm.

"Mi wnei di'n iawn, was," meddai. "Dwi'n falch ohonat ti." Gwasgodd o Twm yn dynn, dynn rhwng ei freichiau anferth.

Tomos a Cenhaearn

"Cym' bwyll," meddai Mam. "A chofia'n bod ni'n dy garu di!" Ac fe wasgodd hi i'w choflaid hefyd.

Gadawodd Milwg a Twm. Roedd hi'n ddiwrnod oer arall a chodai'r ager o'u cegau wrth iddyn nhw gerdded. Edrychodd Twm ddim am yn ôl. Teimlai petai'n gwneud hynny y byddai'n rhedeg yr holl ffordd adref. Aeth y ddau ar hyd y ffordd tua'r dwyrain nes oedd canol dinas Creigfa o'u blaen.

Roedd hi'n werth ei gweld. Roedd Creigfa'n ddinas fawr, a reit yn ei chanol codai bryn anferth, creigiog fel coron. Pentyrrai tai a strydoedd o gwmpas ei gilydd mewn rhesi bach troellog wrth droed y bryn. Codai mwg mewn stribedi tenau o simneiau'r tai yn awyr lonydd y pnawn – codi a chodi tuag at balas y Brenin Gwgon ar ben y bryn, gyda'i

waliau a'i dyrau cadarn yn rhythu i lawr ar bawb a phob dim.

Wrth iddyn nhw gerdded, llithrai diferion olaf golau'r haul o'r awyr, a dechreuodd pobl danio lampau a thanau. Prysurodd y dorf o'u cwmpas. Clywodd Twm sŵn ffidil yn canu mewn tafarn, sŵn dyn gyda throl wair yn ffraeo gyda thaniwr lampau, a dynes yn gwerthu bara ar stondin. Ond cyn iddo weld rhagor, arweiniodd Milwg o oddi wrth y torfeydd, i lawr ali gul i'r tywyllwch.

"Fe wnest ti'n dda ddoe," meddai.

Edrychodd Twm arno, "Syr?"

"Efo Capten Hwrch," gwenodd Milwg. "Hen lembo ydi o, yntê?"

Edrychodd Twm ar y llawr, "Well i mi beidio dweud, syr."

Nodiodd Milwg. "Y dreig-gleddau. Ti'n

helpu dy dad i'w gwneud nhw?'

"Ydw, syr."

"Prin fod neb yn gwybod sut mae eu gwneud nhw erbyn hyn," meddai Milwg. "Mae'r rhan fwyaf yn rhai ffug. Ond mae'ch rhai chi'n rhai go iawn. Cleddyfau go iawn i ladd dreigiau go iawn, yntê?"

Wnaeth Twm ddim ateb. Taflodd gip o'i gwmpas a gweld bod yr ali'n wag. Yna dywedodd Milwg yn ddistaw, "Rwyt ti'n gwybod eu bod nhw'n bodoli, 'dwyt? Ti'n gallu eu teimlo nhw."

Aeth Tom yn groen gŵydd drosto.

"Syr?"

"Dwed wrtha i ..." fflachiodd llygaid Milwg. "Pryd welaist ti'r wyneb yn y tân?"

Rhewodd Twm yn ei unfan.

Chwarddodd Milwg yn dawel, "O, ydan

wir, rydan ni'n gwybod am hynny. Rydan ni
wedi bod yn chwilio amdanat ti, Tomos."

Syllodd Twm arno. Camodd yn ôl, ond
estynnodd Milwg tuag ato gan wgu.

Yna'n sydyn, fflamiodd golau gwyn llachar
o'u cwmpas a'u dallu.

CYNNIG

"Ach!"

Simsanodd Twm a bu bron iddo ddisgyn ar ei hyd ar lawr. Roedd y golau gwyn, llachar ym mhob man o'i gwmpas.

"Aros!" Gafaelodd Milwg yn ei fraich.

"Gollyngwch fi!" gwaeddodd Twm, ond roedd gafael Milwg yn dynn fel trap haearn.

Craffodd Twm i mewn i'r golau. Gallai weld siâp ... dynes? Ia, dynes dal efo ffon fawr yn ei llaw. Chwifiodd ei llaw arall a diflannodd y golau. Yna, roedd y byd yn dywyll fel y fagddu. Ond meddyliodd Twm

iddo weld – am eiliad – rywbeth yn sefyll y tu ôl i'r ddynes. Cysgod yn symud ...

"Helô, Tomos," meddai hi. "Mae'n ddrwg gen i os gwnaethon ni dy ddychryn di."

Swniai ei llais yn hen ond roedd yn glir a miniog, fel gwydr. "Rydyn ni wedi bod yn chwilio amdanat. Wyddost ti pam?"

Ysgydwodd Twm ei ben.

"Am i ti weld yr wyneb yn y tân. Fe welaist ti o, yn do?"

Ysgydwodd Twm ei ben eto a cheisio tynnu'n rhydd o afael Milwg.

Edrychodd y ddynes arno am sbel a nodio.

"Do, rwyt ti wedi ei weld. Efallai ei fod o'n edrych rhyw fymryn ... fel hyn?"

A'r tu ôl iddi, symudodd y cysgod tywyll

eto. Trodd am yr awyr, yn dadlapio ac yn ymestyn; roedd yn anferthol! Gallai Twm weld cennau tywyll trwchus, gwddw hir, crafangau miniog a phen mawr, esgyrnog.

DRAIG!

Bu bron i Twm dagu. Draig. Draig oedd hi!

"Paid â bod ofn," sibrydodd Milwg.

Ond draig ydi hi! meddyliodd Twm. Ond yn raddol, sylweddolodd nad oedd o wedi dychryn go iawn. Fe ddylai ei fod o'n crynu mewn braw, ond doedd o ddim.

Plygodd y creadur ymlaen. Roedd yr wyneb yn debyg i'r un a welsai Twm yn y tân, ond roedd yn las tywyll fel gwaelod llyn, a llygaid melyn, mawr. Roedd y pen mor llydan ag ysgwyddau Twm, a'r geg yn llawn dannedd gwyn, miniog. Yna, teimlodd Twm ei anadl ar ei wyneb! Roedd hi fel niwl cynnes, yn stemio yn yr aer rhewllyd.

"Noswaith dda, Tomos," meddai mewn llais dwfn, melfedaidd. "Fy enw i yw Fflamddwyn."

Syllodd Twm. Tynnodd y ddraig ei gweflau yn ôl gan ddangos mwy o ddannedd.

Wedi eiliad, sylweddolodd Twm ei bod yn gwenu.

"Y ..." mwmialodd Twm. "Y ... helô?"

Trodd y ddraig ei phen.

Rhoddodd Milwg y gorau i afael ym mraich Twm. "Gei di ei chyffwrdd hi," meddai'n ddistaw. "Mae'n gwbl ddiogel."

Ystyriodd Twm ffoi. Ond yn hytrach, yn araf deg iawn, estynnodd ei law at y ddraig a chyffwrdd ei ffroen.

Roedd hi fel trwyn ceffyl – yn gynnes ac yn sych ac yn arw, ond yn teimlo'n braf hefyd. Ymhen dim roedd Twm yn ei mwytho a chaeodd llygaid y creadur o'i flaen. Anadlodd chwa o aer poeth. Yna llithrodd yn ôl i'r cysgodion, gan adael Twm yn syllu ar ei ôl.

"Dywed wrtha i, Tomos," meddai'r

ddynes. "Be wyddost ti am ddreigiau?"

Llusgodd Twm ei lygaid o'r cysgodion a cheisio meddwl. "Ym, dwi'm yn ... mae Mam yn dweud mai angenfilod ydyn nhw i gyd, yn rhoi pethau ar dân. Ac maen nhw'n, wel ..." Oedodd. *Maen nhw'n bwyta pobl!* Dyna oedd o am ei ddweud. Ond roedd Fflamddwyn yn gwylio o hyd, a theimlai Twm y byddai dweud hynny'n ddigywilydd.

Pesychodd. "Ac maen nhw i gyd wedi diflannu. Wel ..."

Doedd yna'r un ddraig wedi bod yng Nghreigfa ers mil o flynyddoedd − dyna ddywedai Tada wrtho. Hisiodd y ddraig fel pe bai'n chwerthin.

"Nid i gyd," meddai'r ddynes. "Ond ychydig iawn sydd ar ôl. Tydyn nhw ddim

yn angenfilod chwaith. Dreigiau ydi'r creaduriaid mwyaf arwrol sy'n bod." Ysgydwodd ei phen yn drist. "Unwaith, roedd yna lawer ohonyn nhw. Buon nhw'n helpu i godi'r ddinas hon ac amddiffyn y wlad. Fe wnaethon ni eu gwahodd nhw yma o'u byd nhw, a byw mewn heddwch gyda'n gilydd. Wrth ochr pob draig roedd Dreigydd. Person, Tomos. Rhywun efo gallu arbennig i weld pethau'r tu draw i'n byd ni ..."

Gwenodd y ddynes. "Fel wyneb yn y tân."

Rhythodd Twm arni. "Be?"

"Mi welais i ti gyda'r dreig-gleddau," meddai Milwg. "Doeddet ti prin yn gallu dioddef eu cyffwrdd nhw; mi fedrwn i ddweud wrth edrych arnot ti. Mae pobl

yn newid pan maen nhw'n gweld eu draig."

Rhythodd Twm eto – roedd o'n gwneud dipyn o hynny heno. "Fy nraig *i*?"

Gwenodd y ddynes. Ym meddwl Twm, gwenodd yr wyneb hefyd. *Bydd yn barod* ...

"Rydyn ni yma i gynnig prentisiaeth i ti, Tomos." Chwarddodd. "Ond nid fel clerc. Croeso ... i Urdd y Dreigyddion."

URDD Y DREIGYDDION

"Berin ydw i," meddai'r ddynes. "Dwi'n ddreigydd fel ti, Tomos. Fy nraig i ydi Fflamddwyn." Disgleiriai llygaid Berin. "Neu yn hytrach, efallai mai fi ydi ei berson o."

Y tu cefn iddi, plygodd Fflamddwyn ymlaen. Pwysodd y ddau yn erbyn ei gilydd a chau eu llygaid, a wyneb anferth Fflamddwyn yn erbyn boch Berin. Yna ochneidiodd y ddraig a dechrau pylu, fel petai'r golau'n ei gadael. Aeth yn ddyfnach a dyfnach i'r cysgodion nes iddi ddiflannu.

Agorodd Berin ei llygaid.

"Be ddigwyddodd?" holodd Twm yn syn.

"Mae Fflamddwyn wedi dychwelyd i'w fyd o," meddai Berin dan wenu. "Mae'n haws felly – tydi draig deg troedfedd ar hugain ddim yn hawdd i'w chuddio, cofia!"

"Felly ... maen nhw'n mynd yn ôl?"

"O, ydyn. Dim ond pan macn nhw'n cacl eu galw maen nhw'n gallu dod i'n byd ni, ond maen nhw'n gallu dychwelyd pryd bynnag maen nhw eisiau." Amneidiodd ar Milwg a dechreuodd y tri grwydro i lawr stryd fechan.

"Mae Draconwys wedi newid," meddai Berin. "Ar ôl y Dreigio, aeth bron pob un adref yn ôl. Fe wrthodon nhw ddod yn ôl aton ni, waeth faint wnaethon ni ymbilio."

"'Y Dreigio'?"

Ochneidiodd Berin. "Storm o frwydr

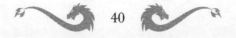

anferthol. A hanes trist, ond mae hwnnw at ryw ddiwrnod eto. Ond erbyn hyn, maen nhw'n dychwelyd. Cenhedlaeth newydd o ddreigiau'n chwilio am ddreigyddion newydd. Mae'n amser cyffrous, Tomos bach!"

Arweiniodd Milwg nhw'n ddyfnach i berfeddion yr hen ddinas dywyll, drwy strydoedd yn llawn cysgodion ac alis culach a chulach nes cyrraedd drws bychan, cudd. Trawodd gip o'i gwmpas cyn hebrwng pawb drwyddo.

Roedd hi fel bol buwch y tu mewn, a dim ond cysgodion a siapau annelwig o'u cwmpas. Daeth Milwg o hyd i ddrws arall, a choridor arall, ac un arall ac eto fyth, gan ddrysu Twm yn llwyr. Pa mor fawr oedd yr adeilad yma? Clywodd sŵn metel a phren yn clencian o'u cwmpas fel cogiau'n troi'r tu mewn i gloc, a

theimlai fel petai'r coridorau'n symud o dan eu traed ...

Llamai Berin yn ei blaen a doedd gan Twm ddim dewis ond brysio i gadw'n agos ati nes iddyn nhw, o'r diwedd, gyrraedd drws hynafol arall a mynd drwyddo.

Syllodd Twm o'i gwmpas mewn rhyfeddod.

Roedd o wedi disgwyl gweld ystafell neu goridor arall eto fyth. Ond yn hytrach, roedden nhw'n sefyll ar falconi uwchben neuadd mor anferthol nes mai prin oedd Twm yn gallu gweld y pen pellaf. Sgleiniai peli o olau gwyn, rhyfedd uwchben, ac islaw roedd caeau ymarfer ac adeiladau pentref bychan. Yn bell i ffwrdd rhwng yr adeiladau, galwai pobl ar ei gilydd mewn lleisiau bach a adleisiai o gwmpas y neuadd enfawr.

Ac roedd llond yr awyr o ddreigiau'n hedfan.

"O!" Ebychodd Twm mewn rhyfeddod o
weld y gwahanol fathau! Rhai yn hir a thenau
gyda chynffonnau sidanaidd; rhai yn bwerus, yn
curo'u hadenydd fel eryrod. Roedd rhai yn fawr,
eraill yn fach ac yn chwim. Hedfanai pob un yn
braf rhwng y peli golau, gan droelli a throsi a
phlymio. Ac ar gefn pob un, eisteddai person!

 43

"Croeso, Tomos," meddai Berin. "Croeso i Urdd y Dreigyddion."

Ysgydwodd Twm ei ben yn syn. "Lle ydan ni? Does yna'r un adeilad mor fawr â hwn yng Nghreigfa i gyd! Ydan ni yn y ddinas o hyd?"

Chwarddodd Berin. "Ydan, mewn ffordd. Tyrd."

Arweiniodd Twm i lawr grisiau at y pentref. "Dyma ein cartref," meddai. "Yma byddi di'n byw ac yn cael dy hyfforddi. Byddi di'n dysgu am ddreigiau a sut i'w galw nhw." Amneidiodd uwch ei phen ar y dreigiau'n llenwi'r awyr. "A sut i hedfan, a sut i ofalu amdanyn nhw." Cerddodd tuag at adeilad isel a hebrwng Twm i mewn iddo. Gwelodd ei fod mewn ystafell hir ac o'i flaen roedd bwrdd wedi ei lwytho â bwyd − bara yn syth o'r popty, caws, powlenni o ffrwythau a chrochan fawr o botes ffa. Roedd hi'n swnllyd yno, a'r sgwrsio a'r cecru'n llenwi clustiau Twm. Wrth iddyn nhw ddod i mewn, trodd criw o blant i edrych arnyn nhw.

"Ddisgyblion!" gwaeddodd Berin. "Rhowch groeso i Tomos. Tomos, dyma'r prentisiaid eraill. Cyflwynwch eich hunain, a gwnewch le iddo fo wrth y bwrdd. Wela i chi fory. Nos dawch!"

A gyda hynny, gwenodd ar Twm a gadael gyda winc gan gau'r drws. Trodd Twm a syllu ar y criw.

"Ym ..." meddai'n betrus.

"S'mai!" Camodd merch dal ag ysgwyddau llydan at Twm ac ysgwyd ei law, gan ei gwasgu'n dynn. Edrychodd arno'n ofalus. "Sgwyddau cry' gen ti. Ti'n fab i of?"

Oedodd Twm. "Ym, ydw."

"Erin dwi," meddai'r ferch. "Croeso i Cwt Rhif Tri. Fi ydi'r bòs yma, 'li."

"Naci wir!" gwaeddodd pawb arall.

Gwgodd Erin. "Wel, fi ddylia fod! Fi oedd yma gynta."

Safodd hogyn gwelw efo gwallt coch cyrliog ar ei draed. "Connor," meddai, "Ac mewn difri, gan mai fi sy'n gwybod mwy na neb yma am ddreigiau, fi 'di'r bòs i fod!"

"Lol botas!" poerodd Erin.

"Naci ddim!"

Dechreuodd y ddau ffraeo, gan anwybyddu Twm.

"Elis dwi," meddai hogyn arall a oedd yn dal darn mawr o femrwn. "O le wyt ti'n dod?"

"Gallt Gwylan," meddai Twm, a rhoddodd Elis farc gofalus ar y memrwn. Sylwodd Twm

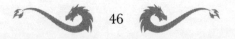

mai map oedd o.

"Gof?" holodd merch arall. "Gof y't ti?"

"Wel, mab gof ..."

"Jesd y peth! Mira ydw i. Be ti'n wybod am gryfder gwifrau copr, 'te?" Syllodd Mira arno. Roedd ganddi seimiach ar ei hwyneb ac roedd ei gwallt hir wedi ei glymu â chadach oedd yn olew drosto.

"Wel ..."

"Fi sy'n cadw trefn yn y lle 'ma!" rhuodd Erin.

"Gallt Gwylan, wrth ymyl Heol Efydd, ia?" galwodd Elis.

"Neu beth am hollti bolltiau?" mynnodd Mira, gan ddal rhyw declyn mecanyddol rhyfedd o'i blaen. "Mae e ar gyfer harnais lywio, weli di."

Edrychodd Twm o'i gwmpas, wedi drysu.

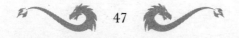

"Elli di ddim bod yn fòs ar neb a chditha'n methu galw draig ..."

"Ond ..."

"TEWCH!"

Am ennyd, rhoddodd pawb y gorau iddi. Gwenodd hogyn tenau, byr ar Twm. "Gadwch lonydd i'r creadur bach. Cai dwi. 'Dan ni wrthi'n cael ein swper. T'isio bwyd?"

Gwnaeth bol Twm sŵn mawr. "Dwi bron â llwgu."

"Wel, bwyta fel tasat ti adra," meddai Cai. "Croeso i Urdd y Dreigyddion."

Eisteddodd Tom dan wenu. "Diolch!"

Plygodd Cai dros y bwrdd. "A hefyd ... fi ydi'r bòs."

"BE?! Callia!"

"Ddim chdi ydi o, Cai!"

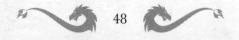

Tomos a Cenhaearn

Dechreuodd y ffraeo eto, a llenwodd Twm ei blât.

Ar ôl swper dangosodd gweddill y bechgyn eu hystafell wely i Twm. Wedi i bawb arall fynd i gysgu, gorweddai Twm yn y tywyllwch, yn effro ond yn gynnes braf a llond bol o fwyd, mewn gwely cyfforddus, glân.

Gwell na gwely gwellt a chawl dyfrllyd, meddyliodd gan gofio geiriau Tada. Gwenodd. Doedd Tada heb ddychmygu hyn!

Ochneidiodd wedyn a theimlo pwl mawr o hiraeth. Roedd pethau wedi bod mor brysur nes nad oedd o wedi cael cyfle i feddwl am ei rieni. Be fydden nhw'n ei wncud? Mi ocdd hi'n amser gwely gartref yn y bwthyn bach hefyd, mae'n siŵr ...

"Nos dawch, Mam," sibrydodd. "Nos dawch, Tada."

Gorweddodd yn ei wely'n meddwl am gartref ... ac yn pendroni beth yn union fyddai'n digwydd drannoeth.

GALW

Gwelodd Twm fod brecwast yn y cwt fel y bu swper, ac fel amser swper, roedd llond y lle o sŵn a rhialtwch. Roedd lleisiau'n codi, platiau'n clecian, ffraeo'n tanio, a heddiw roedd dynes gref efo wyneb clên yn dal coblyn o badell ffrio fawr ac yn sgwrsio efo'r plant.

"A! Yr hogyn newydd!" galwodd pan ddaeth Twm a Cai i mewn. "Sosej? Wyau? Bacwn, tost, madarch, tomato neu ddau neu dri?"

Syllodd Twm arni a'i geg yn agored a'i fol yn gwichian. "Y ... ia, os gwelwch yn dda!"

Pentyrrodd y gogyddes fwyd ar blât iddo.

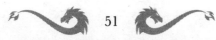

"Dyna ni. Mi fydd hwnna'n ddechreuad go dda i ti. Hilda 'di'r enw. Rŵan ty'd, estyn ato fo!"

Roedd y bwyd yn werth chweil a sglaffiodd Twm ei ffordd drwy'r domen gan edrych o'i gwmpas. Roedd pawb yno. Gwelodd Erin yr hogan heini yn ffraeo efo Mira am ei harnais draig. Roedd Cai a Connor yng nghanol pentwr o lyfrau agored ac yn eu trafod, tra oedd Elis wrthi'n ailwampio'i fap, a'i dafod yn gwthio o ochr ei geg wrth iddo ganolbwyntio. Roedd merch arall hefyd, gyda gwallt golau ariannaidd a thrwyn main, yn bwyta ar ei phen ei hun. Soniodd Cai neithiwr mai Cara oedd ei henw, ond nad oedd hi'n un am sgwrsio rhyw lawer. Wrth i Twm edrych i'w chyfeiriad, rhoddodd Cara gip am i fyny.

Gwenodd Twm arni ond trodd i ffwrdd.

"Reit!" rhuodd Hilda. "Criw o'r hogia i olchi llestri heddiw − siapiwch hi, reit handi! Dach chi'n dechrau ar yr hyfforddi am wyth."

Aeth y criw ati i dwtio a glanhau, a Hilda'n cadw llygad barcud arnyn nhw cyn iddyn nhw ei throi hi am y caeau ymarfer. Roedd Berin yno'n sgwrsio efo dau oedolyn arall: dyn mewn gŵn llwyd, llaes a dynes fechan, gron, mewn gŵn melyn.

"Bore da i chi!" meddai Berin. "Gysgoch chi'n iawn? Deilwen ydi hon, ein hyfforddwr hunanamddiffyn, a dyma'r Is-ganghellor Crydlwyn. Deilwen, Is-ganghellor, dyma Tomos, ein prentis newydd."

Gwenodd Deilwen wên lydan, gyfeillgar ond gwgu arno wnaeth Crydlwyn.

"O, ie. Mab y gof." Trodd ei wefus yn annifyr. "Beth nesaf tybed, Ganghellor – plant ffermwyr moch?" meddai'n goeglyd. Wyddai Twm ddim beth i'w ddweud.

Gwgodd Berin. "Y ddraig ddewisodd Twm. Mae ganddo berffaith hawl i fod yma."

"A sut mae disgwyl i mi ddysgu bachgen sydd yn hapusach yn dal morthwyl na phensil?"

"Tydi hynny ... " dechreuodd Berin ond torrodd Twm ar ei thraws.

"Dwi'n reit hapus efo'r ddau, a dweud y gwir!" brathodd. Yna cochodd, "Hynny ydi ... "

Sniffiodd Crydlwyn. "Dim hunanreolaeth, wrth reswm." Ysgydwodd ei ben. "Ond dwi'n siŵr eich bod chi'n gwybod beth rydych chi'n ei wneud, Ganghellor. Mae gwaith yn galw. Da bo chi," meddai'n swta, cyn brasgamu ar draws y cae.

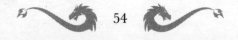

Tomos a Cenhaearn

Ochneidiodd Berin. "Maddeua i'r Is-
Ganghellor," murmurodd. "Mae o fymryn yn
... hen ffasiwn."

Roedd Twm yn siŵr fod ei wyneb yn dal yn
fflamgoch mewn cywilydd am weiddi.

"Hidia befo," meddai Berin wedyn. "Tyrd
efo mi, Tomos." Gwenodd ar Deilwen ac
arwain Twm yn ei flaen. Y tu ôl
iddyn nhw dechreuodd y
plant eraill golbio
dymis gwellt efo
darnau o bren.
Roedd llond
yr aer o synau
clecian a
phren yn
gwichian.

"Pam ein bod ni angen cwffio?" holodd Twm wrth iddyn nhw gerdded.

Ochneidiodd Berin. "Hunanamddiffyn, nid cwffio. Mae'n hyfryd cael dy ddewis gan ddraig. Ond erbyn hyn mae'n beryglus iawn hefyd, gwaetha'r modd. Mae pobl ofn dreigiau. Ac weithiau mae pobl sy'n ofnus, neu ddim yn dcall, yn gallu ymddwyn yn beryglus."

Aeth y ddau ymlaen heb siarad am sbel.

"Dyna pam cafodd Urdd y Dreigyddion ei sefydlu. Mae'r dreigiau'n dychwelyd, ond maen nhw'n wan ar hyn o bryd. Rydyn ni'n dod â dreigyddion ifanc at ei gilydd yma i'w hyfforddi nhw, dysgu iddyn nhw sut mae goroesi, fel y gallan nhw helpu eraill. Ond ar hyn o bryd rhaid i ni guddio a pheidio â sôn gair wrth neb. Yr un enaid byw. Hyd yn oed dy rieni."

Tomos a Cenhaearn

Doedd Twm ddim yn rhy hoff o'r syniad hwnnw. Roedd yn gas ganddo feddwl am gamarwain Mam a Tada, neu gadw cyfrinachau rhagddyn nhw.

"Dyma ni."

Roedden nhw wedi cyrraedd adeilad crwn gyda waliau cerrig, simdde fawr a dau ddrws anferthol. Y tu mewn roedd dyn yn pentyrru coed i mewn i le tân yng nghanol yr ystafell. Gwisgai wasgod ledr frown ac roedd ei wyneb crychiog wedi ei guddio gan locsyn llwyd, trwchus.

"Wel, helô helô!" bloeddiodd gan wasgu llaw Twm yn ei ddwylo. "Tomos, ia? Dda dy g'warfod di! Fel gafr ar d'ranna' debyg, yn methu aros i'w gweld hi, ma' siŵr?"

"Gweld pwy?" holodd Twm mewn penbleth.

"Diawch, dy ddraig di, siŵr!" chwarddodd yn uchel. "Deri dwi. A dwi am dy ddysgu di sut i'w galw."

Caeodd Deri'r drysau ac arwain Twm at y lle tân.

"Ma' hogyn gof fel chdi'n dallt rhwbath am dân, decini," meddai. "Ond rhaid i chdi fod yn drybelig o ofalus 'run fath. Stedda yn fama." Aeth Deri at ochr arall y tân a gwylio Twm drwy'r fflamau. Arhosodd Berin yn ddistaw yn y cysgodion.

"Cymer olwg i'r tân, Tomos," meddai Deri. "Ymlacia rŵan, a gwylio'r fflama'."

Fe wnaeth Twm hynny. "Go dda," meddai Deri. "Rŵan 'ta ... deud wrtha i am y tro cynta wnest ti weld yr wynab. Sut beth oedd o?"

Ceisiodd Twm gofio. "Mi oedd o'n ddu,"

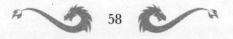

meddai. "Ac yn hir, yn esgyrnog ..." Disgrifiodd Twm bob dim, a sut oedd y llygaid yn llosgi.

Syllodd Deri arno. "Eto," sibrydodd. "Pob dim medri di gofio."

Disgrifiodd Twm y cyfan eto, gan wylio'r fflamau'n neidio. Yna, yn sydyn, gwelodd rywbeth − llychyn bach du yng nghanol y tân! Fflach ... Siâp wyneb, a llygaid yn llosgi a chrib esgyrnog ...

"Ara' deg ma'i dal hi," meddai Deri.

"Ydi hi ... yna go iawn?"

Rhoddodd Deri chwerthiniad bach, "Ma' 'go iawn' yn beth reit anodd i'w ddiffinio. Gwylia am y tro, a chofia. Sut deimlad oedd o? A, paid â deud wrtha i. Dal di'r teimlad yn dy ben ..."

Cofiodd Twm y ffordd roedd yr wyneb wedi syllu arno. Roedd yn frawychus iawn ond eto

... ddim yn ddrwg i gyd.

"Bron iawn ..." meddai Deri'n dawel.

Teimlai'r ystafell yn boethach. Cododd y fflamau a throi'n goch, yna'n wynias. Roedden nhw'n rhuo! Syllodd Twm gan anghofio popeth, popeth ond yr wyneb yn y tân ...

Tomos a Cenhaearn

Yna diffoddodd y tân, ac roedd hi'n gwbl dywyll mwyaf sydyn.

"Be ddigwyddodd?" ebychodd Twm.

"Taw," sibrydodd Deri. "Distaw bach rŵan. Paid â symud modfedd."

A sylweddolodd Twm ... fod rhywbeth arall yn yr ystafell.

Rhewodd. Gallai synhwyro siâp mawr, tywyll y tu ôl iddo, yn dadlapio'i hun ac yn ymestyn. Daeth sibrydiad symudiad, croen fel lledr yn llithro. Yna chwythiad, ac anadl boeth ar gefn ei war.

"A ..." meddai Deri'n hapus. "Dyna ni ..."

CENHAEARN

Trodd Twm a wynebu ei ddraig.

Roedd hi ddwywaith cyn daled ag o, ac yn hir. Roedd ei chroen yn goch, goch fel haearn wedi rhydu. Ond nid rhywbeth metelaidd caled oedd hwn; roedd hi'n fyw. Rhedai llinellau tenau oren a melyn ar hyd ei chorff fel craciau, yn pefrio fel petai tân yn llosgi'r tu mewn iddi.

Eisteddai fel cath, a'i choesau ôl wedi eu plygu a'i chrafangau blaen ar y llawr pridd yn ei dyllu. Chwifiai cynffon drwchus y tu ôl iddi ac ymestynnai ei gwddw tal am i fyny. Roedd

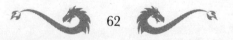

ei hwyneb yn esgyrnog, yn union fel yr un yn y tân, a sgleiniai ei llygaid.

Syllodd ar Twm, gan ddal ei phen rhyw fymryn ar un ochr, a syllodd Twm yn ôl.

"Am un hardd," murmurodd Deri.

"Fedrith hi ..." llyncodd Twm ei boer. "Fedrith hi siarad?"

Gwnaeth y ddraig sŵn dwfn, cras ac agor ei cheg i ddangos rhesi o ddannedd mawr, gwyn.

"O, gallaf," meddai. Roedd hi'n swnio fel petai hi'n gweld yr holi'n ddigri.

Craffodd y ddraig ar Twm. "Ti yw ... Tomos," meddai. "A fi yw ..." Edrychodd y ddraig i lawr fel pe bai'n gweld ei hun am y tro cyntaf. "Cenhaearn. Ssssssut hwyl?"

Camodd Berin at y tri. "Yn eu byd nhw, mae dreigiau'n debycach i ... syniad. Breuddwyd o

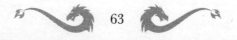

ddraig ... mae eu siâp, fel eu henw, yn dod pan maen nhw'n cyrraedd yma."

"Gen ti mae o'n dŵad, washi," meddai Deri "Mae pob dreigydd yn gweld rhwbath gwahanol."

"Ti fel yr efail gartref," sibrydodd Twm.

Ymestynnodd Cenhaearn hyd pennau ei chrafangau. "Dyma siâp gwerth ei gael," meddai. "Mae'n un cryf, dwi'n hoff ohono."

"Mi fydd hi'n newid eto, gei di weld, pan gaiff hi ei phwerau," meddai Deri.

"Pwerau?" holodd Cenhaearn yn llawn diddordeb. "Pa bwerau?"

Gwenodd Deri. "Dim clem! Ma' pob draig yn wahanol. Ond mi fyddan nhw'n rhwbath y byddwch chi eu angen, ac mi fyddan nhw'n digwydd pan fyddwch chi eu hangen nhw."

Syllodd Twm i fyny ar Cenhaearn.

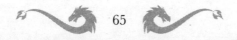

"Rŵan 'ta, Tomos," meddai Deri. "Mi fedra i dy helpu di i'w galw hi nes byddwch chi wedi arfar. Ond mae'n rhaid i chdi wneud un peth ar dy ben dy hun. Rhaid ti ei helpu hi i aros gan ei bod hi yma rŵan."

"Be dach chi'n feddwl?"

Berin atebodd. "Y cyswllt rhwng dreigydd a'u draig sy'n eu clymu nhw i'r byd yma, Tomos. Alli di ei synhwyro fo?"

Edrychodd Twm i fyny ar wyneb Cenhaearn, a syllodd hithau'n ôl. Wrth iddo edrych, sylweddolodd y gallai ei synhwyro hi hefyd. Roedd hi fel siâp yn ei galon nad oedd o wedi sylwi arno o'r blaen, er ei fod wedi bod yno erioed, rywsut. Roedd yn deimlad braf.

Gwenodd Cenhaearn. "Diolch yn fawr, Tomos."

"Da'r hogyn!" meddai Deri. Yna clapiodd ei ddwylo. "Be am i ni fynd i weld y lleill, 'ta?"

Llusgodd Deri'r drysau mawr ar agor a syllodd Cenhaearn ar fyd Neuadd yr Urdd. Caeodd ac agor ei llygaid yng ngolau'r peli a mentrodd yn ei blaen.

"Mae cerdded yn deimlad braf." Chwarddodd chwerthiniad dwfn ym mhellafion ei gwddw. "Mae'r golau'n teimlo'n braf. Mae oglau da ar bopeth. Dwi'n hoff iawn o dy fyd di, Tomos!"

Arweiniodd Berin a Deri nhw i gefn y caeau ymarfer lle'r oedd y lleill wedi gorffen eu gwers hunanamddiffyn. Roedd Crydlwyn yn ei ôl ac edrychodd ar Cenhaearn fel byddai ffermwr yn edrych ar ddafad mewn mart. Ond rhedodd y plant i gyd at Twm gan weiddi'n hapus.

"Gest ti ddraig!" gwaeddodd Erin.

Gwenodd Twm. "Cenhaearn ydi'i henw hi."

"Ew!" meddai Elis a'i lygaid fel soseri. "Mae hi'n wych!"

"Helô Cenhaearn!" galwodd Connor.

"Fy ffrindiau i ydi'r rhain, Cenhaearn," meddai Twm.

Trodd gweflau Cenhaearn yn wên a moesymgrymodd.

Estynnodd Cai linyn o'i boced a'i ddal yn erbyn coesau ôl Cenhaearn a dechrau ysgrifennu mesuriadau mewn llyfr bach.

"Coesau cryf," meddai o dan ei wynt. "Crib go amlwg, gwddw hir ..."

"Dyna ddigon am y tro," meddai hen lais

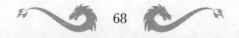

main. Gwelodd pawb fod Crydlwyn yn rhythu arnyn nhw.

"Chwiliwch am le a galw eich dreigiau," gorchmynnodd. "Bydd rhaid i'r rheiny sydd angen help" – gwenodd yn gas – "fynd at Deri."

Gwasgarodd pawb a chau eu llygaid. Aeth Erin, gan edrych ar y llawr, at Deri, a daeth y ddau o hyd i le gyda'i gilydd. Arhosodd Twm lle'r oedd o a gwylio'n ofalus.

Daeth eiliad o ddistawrwydd a rhyw deimlad miniog yn yr aer fel pe bai storm ar ei ffordd. Yna, wrth ymyl Connor, dechreuodd siâp ffurfio. Mor ysgafn â chysgod canol haf i ddechrau ond yna dechreuodd fagu gafael, a daeth yn fwy eglur nes ei fod o'n gwbl amlwg. Draig!

Doedd hi ddim fel Fflamddwyn na Cenhaearn. Roedd ganddi gorff hir ond coesau

byrion ac adenydd bychain ac roedd hi'n denau, bron fel neidr. Doedd ganddi ddim cymaint o ddannedd ac roedd ei llygaid yn las llachar. Weindiodd ei hun o gwmpas Connor wrth iddo siarad efo hi.

Wrth ochr Elis, cododd draig ganolig ei maint, gwyrdd tywyll ei phen. Roedd ganddi glustiau mawr a chorff cadarn ac adenydd cryf, tebyg i ledr trwchus. Dafliad carreg oddi wrth Elis, roedd draig Cai'n wyn i gyd, bron, ond â fflach goch ar ei brest a golwg graff yn ei llygaid.

Creadur digon rhyfedd roedd Cara, y ferch oedd yn eistedd ar ei phen ei hun, wedi ei alw. Roedd yn anodd iawn i'w weld, ac yn fychan. Sylwodd Twm ei fod yr un lliw â phob dim o'i gwmpas, ac os nad oedd o'n canolbwyntio arni, byddai'n diflannu.

Roedd draig Erin yn anferthol gyda choesau ôl mawr a rhes o bigau ar ei chefn. Paffiodd hi Erin yn chwareus gyda un o'i chrafangau a phaffiodd Erin yn ôl. Roedd draig Mira'n rhyfeddol, yn greadur lliw brown ac efydd ac yn onglog iawn, yn debyg i greadur clocwaith. Rhwbiodd y ddau drwynau ei gilydd a chwerthin.

Syllodd Cenhaearn a Twm arnyn nhw i gyd, wedi eu rhyfeddu.

"Maen nhw fel fi!" meddai Cenhaearn yn hapus, fel pe bai'n canu grwndi.

"Dewch, dewch! Peidiwch â chicio'ch sodle!" arthiodd Crudlwyn. "Rhowch yr harneisi ar eich dreigiau!" Arweiniodd y prentisiaid eraill Twm at gistiau wrth ochr y cae ymarfer a phob un yn llawn byclau metel a lledr. Roedd golwg wedi treulio ar y byclau

ac roedd hi'n amlwg fod pob dim wedi ei
ddefnyddio droeon.

Daeth Deri draw. "Mae pob draig yn
wahanol, felly mi fedri di newid maint a
siâp yr harneisi. Fel hyn!" O un o'r cistiau,
tynnodd fwndel o'r strapiau lledr a'u gosod ar
gefn Cenhaearn gan gau'r byclau oddi tani.
Edrychodd Cenhaearn arno â chwilfrydedd.

"'Rhoswch," meddai Twm. "Ydw i'n mynd i'w marchogaeth hi? Fel ceffyl?"

Chwarddodd Deri. "Tydi draig ddim yn geffyl, mwy na dw'inna! Cofia hynny, washi, neu mi fydd hi'n fain arnat ti. Na, na. Ond os gofynni di'n glên, falla fydd hi'n fodlon dy gario di."

Gwenodd Cenhaearn. "Pam lai?"

Felly, yn ofalus iawn, dringodd Twm i mewn i'r cyfrwy. Roedd cennau Cenhaearn yn gynnes braf a phefriai ei llinellau oren a melyn. Eisteddodd Twm ac edrych o'i gwmpas. Teimlai'n bell iawn o'r ddaear oddi tano!

"Barod?" galwodd Crudlwyn. "Dechreuwch drotian!"

Dechreuodd y lleill drotian mewn cylch.

"Dwi'n meddwl ein bod ni fod i wneud yr un peth," mwmialodd Twm.

"Am ryfedd," meddai Cenhaearn. Symudodd yn ei blaen a gafaelodd Twm yn dynn yn y cyfrwy wrth iddo siglo'n ôl a blaen.

Aeth y dreigiau rownd a rownd mewn cylch dro ar ôl tro. *Dwi ar gefn draig,* meddyliodd Twm. *Dwi'n marchogaeth draig.*

Dwi'n marchogaeth draig!

Y RAS

"Sythwch eich cefnau!" gwaeddodd Crydlwyn. "Defnyddiwch eich pengliniau i lywio!" Trotiodd y dreigiau a'u marchogion o gwmpas y cae ymarfer wrth i'w hathro edrych yn ddig arnyn nhw.

"Pam bod y dyn gwirion yna'n gweiddi?" holodd Cenhaearn yn uchel.

"Isht!" sibrydodd Twm. "Fo ydi'r athro."

Y tu ôl iddyn nhw dechreuodd Cai biffian chwerthin.

"Disgyblaeth!" cyfarthodd Crydlwyn yn biwis.

Roedd corff Cenhaearn yn gryf a gallai Twm deimlo ei hysgwyddau mawr yn symud odano.

"Mae hyn yn hwyl," hisiodd. "Dwi'n hoff iawn o drotian. Dwi'n hoff o gael cyhyrau. Dwi'n meddwl gallwn i fynd yn gyflymach!"

Gwenodd Twm ac edrych o'i gwmpas. Roedd rhai o'r dreigiau eraill yn gwthio'u pennau ymlaen fel petaen nhw eisiau mynd yn gynt hefyd. Edrychai rhai o'r plant tuag at Crydlwyn fel petaen nhw'n aros iddo ddweud rhywbeth. Gwyliai o bawb yn mynd o'i gwmpas â rhyw olwg ddigon di-hid ar ei wyneb.

"O, os oes rhaid ..." meddai o'r diwedd. "Un waith o gwmpas y cae. Ewch!"

Chwalodd y cylch taclus wrth i'r dreigiau

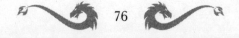

76

ruo a rasio at adwy'r cae ymarfer gan wthio'i gilydd. Chwarddodd y plant a'u hannog ymlaen.

"Dim hedfan ar unrhyw gyfri!" mynnodd Crydlwyn. Edrychodd ar Twm a Cenhaearn "Wel? Ydych chi'n aros i'r tywydd droi? Ewch!"

"Wyt ti am rasio, Cenhaearn?" cynigiodd Twm.

Rhuodd Cenhaearn a rhuthro at y lleill.

Gafaelodd Twm yn y cyfrwy am ei fywyd wrth i goesau cryf Cenhaearn lamu ymlaen. "Rhedeg!" chwythodd yn llawn cynnwrf. "Mae rhedeg yn wych!"

Roedd y lleill wedi mynd tuag at drac rasio llychlyd a oedd yn mynd o gwmpas Neuadd yr Urdd. Rhedai pedair rhes o gwmpas y trac, gan droi'n sydyn ar bob

cornel. Yn anffodus, roedd pawb arall ymhell ar y blaen ac yn mynd am y tro cyntaf, ond ymhen dim roedd Cenhaearn wedi cyrraedd stwcyn o ddraig Elis. Roedd hi'n mynd dow-dow ac wrth iddyn nhw saethu heibio, gwelodd Twm fod Elis yn syllu i fyny ar do'r neuadd heb feddwl am y ras, gan ysgrifennu nodiadau. Chwerthin wnaeth Cenhaearn a chrafu'r ddaear yn galed wrth droi.

Connor, Erin a Mira oedd ar y blaen, ond doedd Cai a Cara ond rhyw ychydig bach o flaen Twm! Roedd draig Cara gyda'i chroen cuddliw rhyfeddol yn agos. Sylwodd Twm fod y ddraig yn llyfn ac yn chwim ond yn llai na Cenhaearn, ac aeth Twm a hithau heibio i ddraig Cara cyn yr ail dro. Gwenodd Twm ar Cara wrth fynd

heibio, ond wnaeth hi ddim cydnabod ei bod wedi ei weld.

Rhedai Cenhaearn gyda llamau mawr, gan daflu Twm o gwmpas nes iddo ddod o hyd i le llonydd y tu ôl i'w hysgwyddau. Roedden nhw bron â chyrraedd Cai erbyn hyn. Er bod draig Cai'n gryf, roedd Cenhaearn lawer cynt!

"Ty'd, Esgyrnedd!" gwaeddodd Cai.

"Ty'd!" Edrychodd Cai ar Twm wrth iddo basio a chwerthin. "Mae dy ddraig di'n gyflym!"

Gwenodd Twm a dal yn dynn wrth iddyn nhw gyrraedd y trydydd tro. Erbyn hyn, roedd y criw ar y blaen yn agosach. Gwelodd Twm fod draig Mira'n arafu, er bod Mira'n ceisio ei hannog ymlaen.

Roedd hi wedi blino a chymerodd Cenhaearn fawr o dro i'w phasio.

Yna doedd neb o'i flaen ond Erin a Connor a'r ddau drwyn wrth drwyn wrth rasio at y tro olaf. Roedd draig Erin yn curo'r ddaear gyda phob cam mawr, ond roedd draig Connor yn chwipio mynd ac yn syndod o sydyn. Aeth y ddau am y tro, a'r un o'r ddau am ildio – a tharo yn erbyn ei gilydd!

"Waaa!" gwaeddodd Connor wrth ddisgyn i un ochr.

"O!" bloeddiodd Erin gan neidio a rowlio

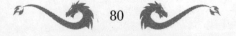

o'r ffordd. Dechreuodd y ddau ffraeo ond wnaeth Twm ddim oedi wrth i Cenhaearn lithro heibio – ac at y cymal olaf!

Mentrodd Twm edrych yn ôl a gweld Cai a'i ddraig Esgyrnedd gyda'i chorff gwyn a'i brest goch yn dal i'w ddilyn, ond arafu roedd hi, a'i thafod yn hongian o'i cheg.

"Dal ati, Cenhaearn!" anogodd Twm. Cyflymodd Cenhaearn eto, ond nawr gallai Twm glywed crafangau Esgyrnedd yn taro'r ddaear y tu ôl iddo a Cai yn chwerthin. Dechreuodd Twm chwerthin hefyd. Roedd cefn Cenhaearn yn boeth, a'r llinellau'n union fel fflamau'r efail gartref. Syllodd Twm arnyn nhw ac am eiliad cofiodd helpu Tada, wrthi ar y meginau ... ac yna yn ei ystafell fach, ac yn eistedd wrth y bwrdd efo Mam a Tada ...

Symudodd Cenhaearn yn chwithig.

"Wê!" gwaeddodd Twm.

Am ennyd, mi bylodd Cenhaearn. Baglodd a gwyro'n sydyn ar draws y trac, a'i choesau'n symud yn rhy sydyn iddi eu rheoli nhw. Rasiodd Cai ac Esgyrnedd heibio. Ceisiodd Cenhaearn ddod ati'i hun ond baglodd eto a mynd ar ei hyd ar lawr. Daliodd Twm ei afael yn y cyfrwy tan yr ennyd olaf cyn taflu'i hun oddi arni. Trawodd y llawr yn galed ac ysgwyd ei ben.

"Aw!"

Trodd i edrych ar Cenhaearn a gweld ei bod yn edrych

arno'n ddryslyd ac yna ... yna ... pylodd yn sydyn a diflannu.

"Cenhaearn?" ebychodd gan syllu ar lle oedd hi wedi bod eiliad yn gynt. "Cenhaearn!"

O'i flaen croesodd Cai a Esgyrnedd y llinell a dechrau dathlu, ond yna gwelodd y ddau Twm a throtian yn ôl ato, gan edrych yn bryderus.

"Be ddigwyddodd, Twm?"

"Fe wnaeth hi ddiflannu!" meddai Twm. "Mi oedd hi yna, ond wedyn doedd dim golwg ohoni!"

Roedd y lleill yn cyrraedd erbyn hyn. Daeth Deri draw hefyd.

"Ma'n iawn, washi," galwodd. "Colli dy gyswllt efo hi wnest ti, dyna'r oll! Mi fydd hi rêl boi, gei di weld."

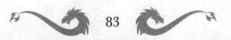

"Beth ydych chi'n wneud yn sefyllian fel hyn?" Cyrhaeddodd Crydlwyn gan edrych yn ddigon blin ar Twm a phawb arall. Ysgydwodd ei ben. "Dyna hen ddigon am heddiw, dwi'n credu. Ddreigiau, ewch yn ôl i'ch byd! Brentisiaid, casglwch y cyfrwyon a'u cadw nhw'n daclus."

Sylwodd Twm fod cyfrwy ar lawr lle'r oedd Cenhaearn wedi diflannu. Roedd y plant eraill i gyd yn ffarwelio efo'u dreigiau wrth iddyn nhw bylu a diflannu.

Rhoddodd Deri ei law ar ysgwydd Twm. "Hida befo, 'rhen Dwm. Mi ddaw hi yn ei hôl. Mi wnawn ni adael iddi orffwys am sbelan cyn ei galw hi eto fory. Be oeddat ti'n feddwl ohoni?"

Ac yntau bellach yn teimlo'n well, gwenodd Twm. "Mae hi'n hollol wych!"

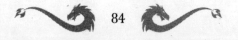

Tomos a Cenhaearn

Gwenodd Deri fel giât arno. "Yn tydi hi hefyd, washi. Mae hi'n werth chweil."

CILFACH
YN DY GALON

Drannoeth, aeth Erin a Twm draw i gwt Deri. Fel Twm, roedd Erin angen mymryn o help llaw i alw ei draig. Erin aeth yn gyntaf, ac roedd Deri'n siriol iawn wrth ei chroesawu. Ymhen ychydig, agorodd y drws a daeth Erin a'r creadur anferth a alwai ei hun yn Gorddgraig allan o'r cwt gyda'i gilydd.

"Wela i di ar y cae ymarfer!" meddai wrth fynd heibio.

Yna tro Twm oedd hi i fynd i mewn i dywyllwch myglyd y cwt.

"Bora da 'rhen Dwm!" meddai Deri'n

llawen. Eisteddodd y ddau a mynd drwy'r seremoni alw.

Daeth ei ddraig yn gynt y tro hwn. Ymhen fawr o dro wrth edrych i'r fflamau, roedd Twm yn gallu gweld wyneb Cenhaearn yn ei feddwl. Yna ymddangosodd hi, mor odidog ag erioed, yn dywyll a'r llinellau tanllyd yn sgleinio unwaith eto ac yn crafu'r llawr fel petai hi'n methu aros i ddechrau arni.

"Helô, Tomos," meddai'n hapus yn ei llais canu grwndi. "Mae'n dda dy weld di eto."

Gwenodd Twm a mwytho'i phen gan deimlo'r croen cynnes fel carreg yn yr haul ar ddiwrnod poeth. Unwaith eto, cafodd Twm ei atgoffa o'r efail wrth edrych ar y llinellau oren a melyn a'i chennau oren-goch. A chofiodd wedyn am weithio gyda Tada a theimlo'r gwres chwilboeth o'i gwmpas ...

"Tomos?"

Edrychodd Cenhaearn arno mewn penbleth. Dychrynodd Twm drwyddo wrth weld ei bod yn pylu eto!

"Cenhaearn!" gwaeddodd. "Ty'd yn ôl!"

"Tomos!"

Erbyn hyn doedd hi'n ddim ond ysbryd, yn rhith yn yr aer, yna dim ond ei llygaid yn unig a welai Twm, a golwg wedi'u brifo ynddyn nhw, ac wedyn ...

"Cenhaearn!"

... dim byd.

"Argol," meddai Deri a chrafu'i ên.

Trodd Twm ato'n wyllt. "Be sy'n digwydd?" holodd.

Edrychai Deri'n ansicr. "Wsti be, dwi'm yn berffaith siŵr ... Rhyw firi efo'r magu cyswllt am wn i." Craffodd ar Twm. "Ti'n gallu'i

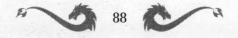

88

theimlo hi, dwyt? Yn dy galon?"

"Ydw! Dwi'n gallu'i theimlo hi!" atebodd Twm yn daer. "Ond ... ond dwi'n ei gweld hi ac yn meddwl am yr efail gartref a wedyn ..."

"Hmm," meddai Deri.

Aeth â Twm i weld Berin, oedd yn sefyll ar y cae ymarfer efo Crydlwyn. Roedd y plant eraill i gyd yno efo'u dreigiau a phob un yn syllu ar Twm yn syn. Esboniodd Deri beth oedd wedi digwydd tra bod Berin yn craffu ar Twm.

"Beth am i ni fynd am dro?" cynigiodd.

Cafodd Twm ei arwain o'r cae ganddi. Ddywedodd hi ddim gair am sbel.

"Ti'n hiraethu am dy rieni," meddai o'r diwedd.

Ceisiodd Twm gadw'r dagrau'n ôl. "Ydw."

"Mae pawb yn teimlo'r un fath wrth gwrs, dim ond bod rhai yn fwy na'i gilydd. Ac mae Cenhaearn yn dy atgoffa di o dy gartref."

Nodiodd Twm wrth iddyn nhw ddal i gerdded.

"Mae bywyd dreigydd yn galed," ochneidiodd Berin. "Er mwyn magu cyswllt gyda dy ddraig mae'n rhaid ei dal hi yn dy galon. Mae'n rhaid i ti gadw cilfach yn dy galon." Cymerodd gip ar Twm. "Weithiau ... mae hynny'n golygu bod rhaid gadael rhai pethau ar ôl."

Oedodd Twm. "Be?"

"Hynny ydi ... efallai fydd rhaid i ti ddewis," meddai Berin. "Fel dreigydd, mae'n rhaid i dy

ddraig fod yn bwysicach i ti na dim arall. Yn bwysicach na dy gartref ac, efallai, dy deulu."

Syllodd Twm arni'n syfrdan "Ond fedra i'm gwneud hynny! Mam, a Tada? Fedra i … fedra i ddim!"

Edrychodd Berin ym myw ei lygaid. "Na," meddai'n drist. "Mae'n ddrwg gen i, Tomos. Efallai nad ydi hwn yn ddewis y medri *di* ei wneud."

Roedd hi wedi arwain Twm mewn cylch ac erbyn hyn roedd y ddau yn ôl ar gyrion y cae ymarfer. Aeth Berin i gael sgwrs gyda Crydlwyn. Syllodd yntau ar Twm a chulhau'i lygaid, yna daeth Berin yn ôl ato.

"Mi wnawn ni geisio eto fory," meddai hi wrtho. "Efallai y gwnaiff pethau newid. Mi ga'i air bach efo Deri hefyd a gweld be fedrwn ni wneud i helpu."

Gwenodd arno eto a throi at gwt Deri.

"Ddosbarth!" arthiodd Crydlwyn. Trodd y plant oedd yn chwarae gyda'u dreigiau ato. Syllodd arnyn nhw'n flin.

"Mi fyddwn ni'n ymarfer ymladd heddiw," meddai. Dechreuodd y disgyblion sgwrsio'n gyffrous a surodd wyneb Crydlwyn yn fwy fyth. "Dim siarad! Pawb i'w le!"

Trodd at Twm. "Os nad oes gen ti ddraig, does dim lle i ti yn y dosbarth hwn. Cer yn ôl i dy ystafell."

Edrychodd Twm ar y llawr yn drist. "Iawn, syr," meddai'n ddistaw.

"O, gyda llaw," meddai Crydlwyn, a'i lais fel rhew. "Un peth ydi galw. Ond os na fedri di fagu cyswllt o gwbl gyda dy ddraig ... yna dwyt ti ddim yn ddreigydd."

Trodd Crydlwyn a dechrau gweiddi unwaith

eto ac aeth Twm i'w ystafell a gorwedd ar ei wely yn drist. Meddyliodd am Cenhaearn a'r teimlad o'i marchogaeth ar hyd y trac ar y fath wib. Yna meddyliodd am ei fywyd gartref, a'r efail.

Sut oedd disgwyl iddo ddewis? Sut oedd posib i neb wneud y fath beth? Syllodd Twm ar y nenfwd a'i ben yn troi.

GARTREF

Bob bore, byddai Twm yn mynd at Deri ac yn galw Cenhaearn. Bob tro byddai'n ymddangos, gan gyfarch Twm gyda grwndi cynnes, a byddai'n estyn ei law i'w chyffwrdd ... a phob tro, byddai cynhesrwydd ei chroen a'r streipiau oren a melyn yn ei atgoffa o fod gartref, a byddai atgofion o'i rieni'n llenwi ei ben. A byddai Cenhaearn, gyda golwg drist a dryslyd arni, yn pylu eto a byddai Deri'n ochneidio. Yr un oedd yr hanes heddiw.

Gosododd Deri ei law ar ysgwydd Twm. "Mi

ddaw petha' yn y diwadd, washi," meddai'n glên. "Paid â phoeni."

Ond poeni wnaeth Twm. Roedd gweddill y criw wedi rhoi'r gorau i'w holi sut hwyl oedd o'n gael arni. Gwyddai pawb ei fod o'n drist a doedd neb yn siŵr iawn beth i'w wneud.

Doedd Crydlwyn ddim yn caniatáu iddo fynd yn agos at yr hyfforddi dreigiau, ond roedd Deilwen yr hyfforddwr hunanamddiffyn yn hapus i'w gael yn ei dosbarthiadau hi.

"Mae wastad yn beth da gwybod sut mae amddiffyn dy hun, waeth be fydd dy hanes di," meddai'n hwyliog. "Croeso i ti ymuno."

Roedd Twm yn mwynhau dosbarthiadau Deilwen. Roedd hi'n fyr a gwisgai ddillad melyn llachar, bron yr un lliw â'i gwallt, a oedd wastad wedi ei glymu efo rhuban pinc. Siaradai'n gyflym mewn llais gwichlyd.

Roedd Twm yn teimlo cywilydd iddo amau ar y dechrau sut gallai rhywun mor fychan ddysgu'r plant i gwffio. Buan y dysgodd o ei bod hi'n hen ddigon tebol wedi iddo'i gweld hi'n taflu Erin hanner ffordd ar draws y cae ymarfer. Wrth gwffio, byddai Deilwen yn bownsio o gwmpas fel pêl a doedd neb yn gallu'i chyffwrdd hi.

"Ysgwyddau cryf," meddai wrtho rhyw fore, yn llawn canmoliaeth. "Ysgwyddau gof, ia?"

"Ia," atebodd Twm.

Y noson honno, ac yntau'n methu cysgu

unwaith eto, meddyliodd am eiriau Deilwen.
*Ysgwyddau gof ... Wel ia, hogyn gof ydw i, a phan
fydda i wedi tyfu, gof fydda i. Neu mi af yn rheolydd
ar y farchnad fel Mam. Dyna wna i. Dyna ydw i.
Ddim dreigydd. Ddim dyna pwy ydw i.*

Sylweddolodd Twm ei fod yn llygad ei le.
Roedd Cenhaearn yn fendigedig, ac roedd o'n
ei charu. Ond sut gallai o fod yn ddreigydd
os oedd rhaid iddo gefnu ar ei deulu? Roedd
Crydlwyn yn dweud y gwir; nid fan hyn oedd
ei le o.

Dwi ddim yn ddreigydd.

A mwyaf sydyn, penderfynodd Twm
fynd adref.

Paciodd ei sachyn a sleifio o'r ystafell wely,
heibio i'r rhes o'i ffrindiau'n chwyrnu, ac i
mewn i Neuadd yr Urdd. Roedd hi'n dywyll,

 97

a'r peli golau uwch ei ben fel sêr gwanllyd wrth iddo ddringo tuag at y drws. Doedd o ddim yn disgwyl i'r drws fod yn gilagored ond felly oedd o, a llithrodd yn dawel i'r coridor. Roedd gadael yn llawer haws na chyrraedd, a'r troadau a'r gwahanol goridorau'n arwain i'w gilydd yn ddigon rhwydd. Ymhen dim roedd o tu allan, ac aer oer Creigfa yn taro'i wyneb.

Edrychodd Twm o'i gwmpas. Doedd o ddim yn siŵr iawn lle'r oedd o, a doedd yna'r un adeilad gerllaw yn debyg i faint Neuadd yr Urdd. Crwydrodd o gwmpas nes iddo gyrraedd stryd y roedd o'n ei chofio. Gallai glywed lleisiau'n dod o rywle. Arhosodd, yna cripian yn ei flaen yn llechwraidd a gweld dau berson yn siarad. Cuddiai un yn ddwfn yn y cysgodion ... ond Crydlwyn oedd y llall.

Tomos a Cenhaearn

Dychrynodd Twm a chilio. Oedden nhw'n chwilio amdano'n barod? Yna cofiodd am y drws agored – rhaid bod Crydlwyn wedi gadael y neuadd o'i flaen o. Wrth i Twm wylio, daeth y sgwrs i ben. Llithrodd y ffigwr yn ddyfnach i'r cysgodion a throdd Crydlwyn yn ôl am y neuadd. Wrth iddo wneud hynny, trawodd golau gwan y lleuad ei wyneb.

Roedd golwg wyllt gacwn arno. Safodd Twm yn berffaith llonydd. Prin ei fod o'n anadlu wrth i Crydlwyn stelcian i ffwrdd.

Beth oedd o'n ei wneud, tybed? Roedd hi'n hwyr iawn i rywun grwydro'r strydoedd, a'r ddinas yn cysgu'n braf. Wfftiodd Twm – doedd o'n ddim i'w wneud efo fo. Doedd o ddim yn ddreigydd. Brysiodd am adref, ond yna ...

Clywodd sgrech!

Neidiodd Twm o'i groen. Roedd yn sŵn afiach, milain, yn llawn gwylltineb – nid sŵn dynol – ac roedd yn agos ato. Yna yn sydyn, ffrwydrodd tân o do adeilad wrth ei ymyl! Daeth sgrech arall eto, a mwy o fflamau'n chwalu eu ffordd drwy dŷ rhywun. O flaen llygaid Twm, cydiodd y fflamau mewn mwy o adeiladau, hanner ffordd i fyny'r allt ...

Y tai ar ei ffordd o ...

Rhedodd Twm mor chwim ag y gallai drwy strydoedd Creigfa. Erbyn hyn, roedd

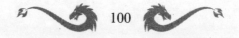

sŵn gweiddi pobl wedi dychryn i'w glywed, ac roedd oglau ffyrnig llosgi ym mhob man a'r mwg yn codi i guddio'r sêr. Adeiladau coed â thoeau gwellt oedd y rhan fwyaf o dai Creigfa, felly doedd y tân fawr o dro yn cydio'n iawn. Brysiodd pobl o'u tai gan lusgo plant oedd yn hanner cysgu. Aeth rhai ati i drefnu rhesi o bobl i gario bwcedi'n llawn dŵr o'r ffynhonnau a'i luchio at y fflamau.

Dal ati i redeg wnaeth Twm. Rhedodd nes iddo gyrraedd y ffordd lle'r oedd ei gartref. Teimlodd yn sâl wrth weld bod popeth yn wenfflam. Roedd y tân yn wyllt a tho yr efail yn llosgi, ond roedd y bwthyn bach yn waeth o'r hanner, a fflamau oren yn dawnsio arno. Cleciai a gwreichionai'r tân a theimlodd Twm y gwres fel wal goch ar ei wyneb, yn ei orfodi i gamu'n ôl.

Tomos a Cenhaearn

"Mam!" bloeddiodd "Tada!"

Galwodd lleisiau arno o'r tu mewn i'r bwthyn.

"Tomos?"

"Twm, 'mhlentyn i! Paid â dod yn nes!"

Chwalodd y drws ffrynt yn agored a gwelodd Twm ei rieni'n ceisio gadael y bwthyn. Ond disgynnodd darn mawr o bren o flaen y drws gan dasgu gwreichion eirias i bob man. Baglodd ei rieni am yn ôl.

"Mam!" llefodd Twm. "Tada!"

"Tomos!"

Roedden nhw'n gaeth yn y tŷ!

TÂN

"Mam!" plediodd Twm eto. "Tada!"

Llosgai'r bwthyn o'i flaen, a doedd dim ffordd i mewn nac allan. Edrychodd o'i gwmpas am gymorth ond roedd y stryd i gyd yn wenfflam, a phawb yn brysur yn ceisio atal y fflamau rhag ymledu. Roedd y tân mor ffyrnig! Beth fyddai wedi achosi'r fath beth?

Syllodd ar y fflamau a'i galon yn gwaedu.

Mi fedra i helpu. Neidiodd Twm. Y llais yn ei ben! Yna, yn sydyn, gwelodd rywbeth yn y fflamau – siâp tywyll gydag wyneb esgyrnog a llygaid llachar.

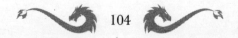

Tomos a Cenhaearn

"Cenhaearn?" holodd Twm yn gryglyd. "Ti sy 'na?"

Mi fedra i helpu, Tomos. Mi fedra i helpu. Galwa fi!

Fyddai o'n gallu gwneud hynny? Efallai. Efallai fyddai Cenhaearn yn gallu cyrraedd y bwthyn. Dechreuodd amau'i hun ac yna clywodd lais Cenhaearn eto ...

Mi fedri di. Dwi'n gwybod hynny.

Cymerodd Twm gip o'i gwmpas. Doedd neb wedi sylwi arno. Ceisiodd gofio gwersi Deri. Edrych i grombil y tân. Ymlacio ... Syllodd ar y fflamau. Ceisiodd beidio meddwl am ei rieni. Ceisiodd beidio meddwl am ddim heblaw Cenhaearn. Mae'n rhaid ei bod yn bosib. Roedd y lleill yn gallu gwneud hyn!

Ond dwyt ti ddim yn ddreigydd fel y lleill, meddyliodd.

Ysgydwodd Twm ei ben a rhoi cynnig arall arni. Roedd yn rhaid iddo lwyddo. Cofiodd am grafangau Cenhaearn yn crafu'r ddaear yn barod i neidio. Cofiodd am ei chroen fel haearn coch, fel y byddai hi'n ymestyn ei choesau blaen, ei hanadl boeth ar gefn ei wddw.

"Tomos," meddai Cenhaearn yn ei llais canu grwndi dwfn yn ei glust. "Da iawn."

Trodd Twm a syllu ar wyneb Cenhaearn, a nodiodd hithau ei phen anferthol. Gafaelodd Twm amdani'n dynn ond yna gollyngodd hi. Doedd yna ddim eiliad i'w cholli!

"Helpa nhw!" llefodd Twm. "Maen nhw yn fan'na!"

Craffodd Cenhaearn ar y fflamau.

"Wrth gwrssssss ..."

Llithrodd yn ei blaen. Doedd hi'n poeni dim am y fflamau, ond wrth iddi symud oddi wrtho dechreuodd bylu eto!

Griddfanodd Twm a rhedeg tuag ati, a'r gwres yn ei daro fel dwrn.

"Ddim tro 'ma!" mynnodd "Aros efo fi, Cenhaearn!" Pwysodd ei foch yn erbyn ei chroen cynnes. "Aros!"

Daeth Cenhaearn yn ôl i'r byd yn sydyn.

"Dwi am aros," chwyrnodd. "Ond mae'n rhaid i ti aros gyda mi."

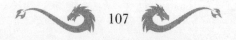

"Mae'r tân yn rhy boeth!" atebodd Twm a theimlo'i hun yn gwywo.

Nodiodd Cenhaearn. Yna gostyngodd ei phen, cau'i llygaid a gwneud sŵn fel y grwndi dyfnaf glywodd Twm erioed. Crynodd ei chorff i gyd ac roedd fel petai hi'n tyfu'n fwy ac yn fwy grymus. Pan drodd hi tuag ato roedd ei llygaid yn glir.

Dechreuodd yr aer oeri o'u cwmpas. Roedd y tân yn dal i losgi a fflamau ym mhob man ond wrth ymyl Cenhaearn, cadwai'r oerni Twm yn ddiogel.

"Dyma ..." anadlodd Twm gan lenwi ei ysgyfaint; roedd y mwg wedi diflannu hefyd. "Dyma dy bŵer di?"

"Aros yn agos," sibrydodd Cenhaearn.

Camodd i ganol y fflamau a Twm wrth ei hochr.

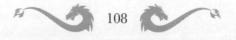

Cyrhaeddodd y ddau ddrws y tŷ, a symudodd Cenhaearn y darn o bren efo'i thrwyn. Y tu mewn, roedd yr ystafell yn llawn mwg du.

"Fan'cw!" galwodd Twm gan bwyntio. Gorweddai ei rieni'n anymwybodol ar y llawr wrth y ffenest gefn.

Yn sydyn cofiodd Twm beth ddywedodd Tada wrtho am berygl tân.

"Mae'r mwg yn waeth na'r fflamau," meddai. "Os cei di lond ysgyfaint ohono, mi wnei di lewygu a dyna hi wedi darfod arnat ti. Cofia hynny, 'ngwas i. Os byddi di byth yn

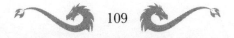

sownd mewn tân, cadwa'n isel, yn agos at y llawr, o dan lefel y mwg."

"Maen nhw wedi llewygu!" gwaeddodd Twm. "Mi fydd yn rhaid i ni eu cario nhw!"

Roedd y tân yn magu gafael. Daeth sŵn malu mawr wrth i'r drws y tu ôl iddyn nhw chwalu.

Ceisiodd Twm feddwl. "Y ffenest!" meddai'n sydyn.

Camodd Cenhaearn yn betrus at rieni Twm, agor ei cheg fawr a chodi Mam yn ofalus. Agorodd Twm gaeadau'r ffenest a gwthiodd Cenhaearn ei phen allan a gollwng Mam yn dyner y tu allan. Gwnaeth yr un peth efo Tada hefyd.

"Da iawn!" bloeddiodd Twm. Ceisiodd ddringo drwy'r ffenest ei hun ond daeth crensh arall. Baglodd am yn ôl wrth i fwy o'r

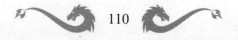

tŷ ddisgyn o'u cwmpas.

Roedden nhw'n sownd!

"Dringa ar fy nghefn," hisiodd Cenhaearn.

Edrychodd Twm yn hurt arni ond dringodd ar ei chefn. Trawodd Cenahearn y nenfwd gyda'i phen nes i honno falu'n deilchion. Uwch eu pennau roedd yr awyr, a'r mwg yn cuddio'r sêr o hyd. Tynhaodd ei choesau ôl ... A llamu'n syth i fyny.

"Aaaa!" sgrechiodd Twm.

"Dal d'afael!" chwyrnodd Cenhaearn.

Ond roedd Twm eisoes yn gafael gyda'i holl nerth! Lapiodd ei freichiau'n dynn amdani a chau'i lygaid wrth iddyn nhw godi, a dechrau disgyn, ac yna ...

Agorodd un llygad. Doedden nhw ddim yn disgyn. Roedden nhw'n hedfan!

"O!"

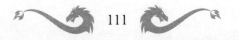

Roedd adenydd Cenhaearn yn agored ac yn debyg i ledr tenau, yn grychau i gyd yn y gwynt. Roedden nhw ymhell, bell uwchben y tir wrth i wres y fflamau eu codi'n uwch.

"Wwww," mwmialodd Cenhaearn. "Felly peth fel hyn ydi hedfan. Hyfryd!"

Syllodd Twm ar y tai a'r fflamau odano a'r bobl fach yn ceisio'u diffodd. Yn y pellter, roedd goleuadau llusernau a ffaglau'r ddinas yn wincio fel sêr. Roedd hynny, beth bynnag, yn brydferth ofnadwy.

"Be ydi hwnna?" holodd Twm wrth weld rhywbeth o'u blaen.

Sgleiniai golau'r lleuad yn erbyn metel. Craffodd Twm ar y siâp o'u blaen a sylweddoli ei fod o'n gweld rhywbeth mawr, lledrog yn curo adenydd.

"Hei!" gwaeddodd.

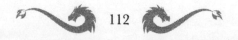

Tomos a Cenhaearn

Trodd y siâp tuag atyn nhw a sgrechian yn filain. Dyna'r union sŵn glywodd Twm o'r blaen, pan oedd o'n crwydro'r strydoedd tywyll! Yna rhoddodd adenydd y siâp guriad mawr a sgrialodd i ffwrdd drwy'r awyr.

Chwyrnodd Cenhaearn a churo'i hadenydd hithau, gan saethu ar ei ôl ar wib aruthrol.

"O iesgob!" gwichiodd Twm a dal ei afael yn dynnach.

Chwipiodd y gwynt ei wyneb. Trodd y siâp i'r dde yn sydyn a dilynodd Cenhaearn o. Roedd yn anferthol, ac yn symud ar ras, ei ysgwyddau cyhyrog yn ei yrru drwy'r tywyllwch oer. Ar ei gefn roedd marchog mewn clogyn tywyll yn ei annog i fynd yn gynt ac yn gynt ...

"Draig arall ydi hi!" gwaeddodd Twm.

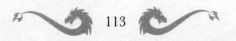

Tomos a Cenhaearn

Aeth y ddwy ddraig ar ras drwy'r awyr. Erbyn hyn roedden nhw wedi cyrraedd bryn y palas. Trodd y ddraig o'u blaenau'n osgeiddig ar y gwynt a chodi'n gyflym. Trodd o gwmpas y graig, a saethodd Cenhaearn ar ei ôl ac yna ... yna ...

Yna doedd dim golwg ohoni.

"I ble aethon nhw?" holodd Twm mewn penbleth.

Sniffiodd Cenhaearn yr awel. Hedfanodd yn ôl a blaen gan geisio dod o hyd i unrhyw olwg o'r ddraig arall, ond rywsut, roedd hi a'i marchog wedi diflannu o dan gysgod waliau'r palas.

"Wedi mynd," hisiodd Cenhaearn.

Sylwodd Twm eu bod braidd yn agos at y muriau. "Ty'd," meddai gan fwytho'i hystlys. "Well i ni fynd cyn i'r milwyr ein gweld ni."

Sniffiodd Cenhaearn eto mewn siom. Yna trodd a churo'i hadenydd, a phlymio tuag at gartref Twm. Gallai Twm weld fod Mam a Tada ar y llawr o hyd ond yn ddigon pell o'r fflamau. Trodd Cenhaearn mewn cylch sydyn, i lawr ac i lawr! Disgynnodd felly cyn agor ei hadenydd yn llydan, gan arafu wrth iddi hi a Twm nesáu at y ddaear. Glaniodd yn daclus ar ei choesau, fel cath.

Neidiodd Twm oddi ar ei chefn ar frys. "Tada!" gwaeddodd. "Mam! Fedrwch chi 'nghlywed i?"

Griddfanodd ei rieni a dechreuodd Tada besychu. Daeth ato'i hun a syllu ar Twm.

"Tomos?" holodd yn wan.

"Tomos!" Roedd Mam wedi deffro hefyd. "On i'n meddwl ... y tân ..." Ceisiodd godi ar ei heistedd a methu.

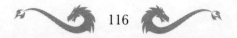

"Mae'n iawn!"
meddai Twm a'i
dal. "Mae popeth
yn iawn."

"Tomos!"
bloeddiodd Tada.
"Y tu ôl i ti!"

Cododd ar ei draed
yn ansicr a llusgo
Twm am yn ôl.
"Rhed, fy mhlentyn i! Dos â dy
fam efo chdi! Rhed!"

Rhythodd Twm yn syn arno. "Be? Be
sydd?" A wedyn sylwodd Twm beth oedd
Tada wedi ei weld.

"Wela i," meddai. "Reit 'ta. Tada, Mam,
mae'n rhaid i mi sôn am rywbeth, dwi'n
meddwl ..."

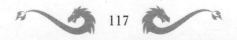

Moesymgrymodd Cenhaearn a gwenu fel giât gan ddangos ei dannedd i gyd.

"Noswaith dda," meddai yn ei llais melfedaidd.

BETH BYNNAG WYT TI

Syllodd Mam a Tada ar Cenhaearn.

"Peidiwch â phoeni!" meddai Twm. Safodd o'u blaenau. "Y ... Mam, Tada ... Cenhaearn ydi hon."

"Braf iawn eich cyfarfod," meddai Cenhaearn yn gwrtais.

Syllodd Mam a Tada yn gegagored.

Cymerodd Tada gip ar Twm ac yna ar y creadur enfawr o'i flaen. Fedrai o ddweud dim!

"Mi ddylwn i esbonio," crafodd Twm ei ben. "Ym ..."

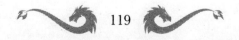

Ond cyn iddo allu dweud gair arall, daeth
sŵn traed yn rhedeg wrth i rywun ddod
ar ras i'r buarth o flaen yr efail. Gwelodd
Cenhaearn a stopio'n stond.

"Be goblyn wyt ti'n wneud!?" gwaeddodd.

Milwg oedd o! Roedd yn edrych fel petai
o eisoes wedi bod yn brwydro yn erbyn y
tân – roedd o'n chwys ac yn huddyg drosto
ac roedd ei lais yn gryg.

"Fedri di ddim bod fan hyn yng
ngolwg pawb!"

Edrychodd Tada ar Milwg ac yna
pwyntio'n sigledig at Cenhaearn.

"Draig, ylwch," meddai. Roedd ei lais yn
swnio'n bell, braidd.

Yna sylwodd Twm beth oedd Milwg
yn ceisio'i ddweud. Trodd at Cenhaearn.
"Rhaid i chdi fynd!" meddai. "Ti'n dallt?"

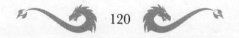

"Ydw," meddai Cenhaearn yn ddistaw. "Ond dydw i ddim eisiau mynd, chwaith."

Gwenodd Twm. Er yr holl lanast a'r tanau o'i gwmpas, teimlodd hapusrwydd yn ei lenwi pan edrychodd arni.

"Paid â phoeni," meddai. "Fyddi di'n ôl yn fuan iawn, dwi'n addo."

Nodiodd Cenhaearn a dechrau pylu a phylu. Lapiodd y cysgodion amdani a diflannodd.

"Be gythraul sy'n digwydd yma?" holodd llais fel dafad biwis.

Trodd Twm a gweld Capten Hwrch ar gefn ei geffyl, yn edrych yn flin iawn. Roedd ei bluen fawr wedi llosgi a gwywo yn y gwres.

"Capten, roeddwn i wrthi'n ..." dechreuodd Milwg.

"Pam dy fod ti'n sefyllian yn fan hyn yn hytrach na diffodd y tân? Siapia hi!"

Ysgydwodd Tada ei ben. "Ia ..." meddai'n ddistaw. Edrychodd ar ei dŷ a oedd yn wenfflam o hyd, fel petai'n ei weld am y tro cyntaf, a rhedeg at y pwmp dŵr. Daeth milwyr Hwrch draw a ffurfiodd pawb res i basio bwcedi o ddŵr i'w taflu ar y fflamau. Arhosodd y capten ar ei geffyl a gweiddi gorchymyn bob hyn a hyn.

Gweithiodd pawb am oriau a llwyddo i ddiffodd y fflam olaf erbyn iddi wawrio. Disgynnodd Twm fel cadach ar lawr. Roedd o wedi ymlâdd! Teimlai ei goesau fel jeli ac roedd ei ysgyfaint yn llawn mwg. Pan drodd i edrych ar y buarth gwelodd Mam a Tada'n syllu arno a griddfanodd. Beth fyddai o'n ei ddweud wrthyn nhw?

"Ti!" arthiodd Hwrch. "Ti achosodd hyn!"

Cododd Twm ei ben. Roedd Hwrch yn pwyntio ei gleddyf at Tada.

Rhythodd Tada arno. "Syr?"

"Mae'n rhaid bod dy efail wedi cynnau'r tân rywsut!" gwaeddodd Hwrch. "Edrych ar y llanast!"

Gwgodd Milwg. "Syr, tydw i ddim yn berffaith sicr ydi hynny'n gywir. Dwi'n meddwl bod yr efail wedi ei diffodd ..."

"Lol botes! Beth arall gallai fod wedi achosi tân mor ddifrifol?"

"Does gan hyn ddim byd i'w wneud efo ni, ar fy llw!" protestiodd Mam, ond wnaeth Hwrch ddim gwrando arni.

"Filwyr, arestiwch y dyn acw!"

Cododd Twm ar ei draed mor sydyn ag y gallai. Beth ddylai o wneud? Ddylai o alw Cenhaearn eto? Ond cyn iddo ddechrau arni, torrodd llais clir drwy'r holl ddryswch.

"Arhoswch am funud, Capten."

Trodd Hwrch yn wyllt ac yna stopio'n sownd. O'i flaen safai Berin yn gwenu'n braf.

"Foneddiges," meddai, wedi dychryn.

124

Moesymgrymodd yn isel a bu bron iddo ddisgyn yn glewt oddi ar ei geffyl. Aeth y plu budur dros ei wyneb i gyd.

"Llongyfarchiadau i chi am ddiffodd y tân, Capten," meddai Berin. "Ond mi alla i'ch sicrhau chi nad yr efail oedd y drwg."

"Ond ..." tagodd Capten Hwrch. "Foneddiges, wrth gwrs fyddwn i ddim yn meiddio anghytuno gyda chi, ond beth arall allai fod wedi ei achosi?"

"Mellt," atebodd Berin.

Edrychodd Capten Hwrch yn hurt arni. "Mellt?"

"Mi welais i nhw," mynnodd Berin.

Oedodd Hwrch. Edrychodd am i fyny a gweld bod awyr y wawr yn las golau heb olwg o gwmwl na storm. Brathodd ei wefus yn nerfus. "Ond ..."

Camodd Milwg ymlaen a gwenu. "Diolch o galon i chi, Foneddiges Berin, am esbonio pethau i ni. Dyna ni felly, yntê, Capten?"

Edrychai Hwrch fel petai o am ddechrau dadlau ond yna pwyllodd. "Ie? Wel ... Mellt. Ie. Wel, wel." Edrychodd yn filain ar ei ddynion a oedd yn gorweddian ar eu hyd ar lawr. "Be ydach chi'n wneud yn fan'no?" brathodd. "Ar eich traed!"

Moesymgrymodd eto a throi ei geffyl i drotian allan o'r buarth. Llusgodd y milwyr eu traed yn flinedig ar ei ôl.

Nodiodd Milwg ar Twm a'i rieni a gwenu ar Berin, yna dilynodd Gapten Hwrch i lawr yr allt.

Gwyliodd Berin nhw'n gadael cyn troi at Mam a Tada. "Mi fyddai'n werth i ni gael sgwrs," meddai'n dawel. "Tomos, ga i funud

efo dy rieni?"

Arhosodd Twm ym mhen arall y buarth tra oedd Berin yn sgwrsio efo Mam a Tada. Bob hyn a hyn byddai Mam, Tada neu'r ddau'n codi eu pennau ac yn edrych ar Twm yn syn. Unwaith, cododd llais Mam nes ei bod yn gweiddi ac yna gostegodd i sibrwd ffyrnig.

Ar ôl sbel daeth y ddau ato â golwg ddifrifol iawn arnyn nhw.

"Mae'r foneddiges wedi sôn am bethau ... rhyfeddol," meddai Tada yn ofalus. "Ydyn nhw'n wir?"

Ochneidiodd Twm. "Ydyn."

"Ond ... draig?" holodd Mam.

"Ia," atebodd Twm.

Pendronodd Tada. Yna trodd ac ymbalfalu yng nghrombil gweddillion yr

efail, yn amlwg yn chwilota am rywbeth. Tynnodd gleddyf tywyll, tolciog o ganol cnapyn o bren myglyd. Dreig-gledd.

Chwifiodd o unwaith neu ddwy gan deimlo'i gydbwysedd. Craffodd ar y siapiau troellog ar y llafn cyn edrych am yn hir ar Twm. "Iawn 'ta," meddai.

Yna, gyda golwg benderfynol, gwthiodd y cleddyf rhwng y slabiau cerrig ar lawr y buarth nes ei fod o'n sownd, yna gyda'i holl nerth, plygodd Tada'r llafn yn ei hanner. Tynnodd y cleddyf rhacs a'i daflu ar draws y buarth, a bownsiodd gan ddiasbedain ar draws y cerrig.

"Wna i fyth mo'r un o'r rheiny eto, felly," meddai gan anadlu'n drwm.

Llyncodd Twm yn nerfus. "Felly ... mae'n iawn 'mod i'n ...?"

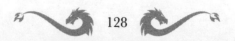

Gwenodd Mam. "Twm, mi ddyliat wybod hyn yn well na dim. 'Dan ni'n dy garu di, pwy bynnag wyt ti, beth bynnag wyt ti. Hyd yn oed os wyt ti'n ..."

"Arbennig," meddai Berin y tu ôl iddyn nhw. "Dyna ydi o. Arbennig."

Nodiodd ei rieni'n hapus, a gwenodd Twm.

Edrychodd Berin o gwmpas y buarth ac yna ar y bwthyn a oedd bellach yn adfail, a'r efail yn rhacs jibiders.

"Be wnewch chi rŵan?"

Mam atebodd. "O, mi fedrwn ni symud at fy chwaer am sbel. Mi ddown ni drwyddi."

"Mi fedra i drwsio'r efail," meddai Tada. "Er, dwn i'm a oes fawr o ddiben. Yn y dreig-gleddau roedd y pres mawr.

Waeth i mi roi'r gorau iddi a dechrau plannu
cabaitsh ddim!"

Gwenodd Berin. "Peidiwch â mynd o flaen
gofid. Mae gen i syniad."

DREIGYDD

Gweithiodd Twm y meginau gan chwythu gwynt i grombil y tân nes oedd o'n tywynnu'n felyn ffyrnig. Wrth ei ochr, morthwyliai ei dad ddarn o fetel.

"Barod, Tomos?"
rhuodd Tada.

"Barod!"
gwaeddodd Twm.

Hyrddiodd
Tada'r metel
i'r tân gan
anwybyddu'r

gwres, fel arfer. Cadwodd o yno nes iddo feddalu a dechrau sgleinio'n oren cyn ei dynnu a'i golbio fo eto ar ei ochrau. Suddodd Tada'r metel yn ddwfn i gafn dŵr nes oedd HISSSSSSSSSSSS ffyrnig a stêm ym mhob man. Yna daliodd o'i flaen a'i wylio.

"Dyna ni," meddai'n fodlon. "Mi wnaiff hynna'r tro."

Gosododd y metel gyda'r darnau eraill. "Da iawn, was."

Gwenodd Twm.

"Tomos!" galwodd Mam. "Mae'r Foneddiges Berin yma!"

Gadawodd Twm yr efail a gweld Berin yn sefyll yn y buarth yn gwenu a sgwrsio hefo Mam.

"Mae'r gwaith trwsio'n mynd yn dda," nododd Berin. Amneidiodd at y

bwthyn. "Rydych chi wedi gwneud yn rhyfeddol, Soffia."

Chwarddodd Mam yn fodlon. "Dwi wedi bod yn trefnu i'r cymdogion helpu ei gilydd. Maen nhw wedi'n helpu ni efo'r efail ac mae Emlyn wedi bod yn gwneud gwaith trwsio iddyn nhw ... ymhlith tasgau eraill." Winciodd Mam.

"A!" meddai Berin. "A sut mae'r gwaith ychwanegol yn mynd?"

Agorodd Twm sach a dangos y darnau metel iddi. "Mae angen rhoi sglein arnyn nhw," atebodd. "Ond maen nhw'n barod fel arall."

"Fy nghyfrwy draig cyntaf," meddai Tada'n hapus. "Pwy feddylia, 'de?"

"Y cyntaf ond nid yr olaf, dwi'n siŵr, Emlyn," meddai Berin dan wenu'n fodlon.

Rhoddodd bwrs bychan yn llawn arian yn ei law a hwnnw'n tincial. "Megis dechrau ydym ni."

Cofleidiodd Twm ei rieni a mynd i lawr yr allt gyda Berin. Edrychodd yn ôl wrth iddyn nhw gerdded, a chwifio arnyn nhw nes iddo fo a Berin fynd heibio tro yn y ffordd.

"Roedd Deri'n hapus iawn i glywed am bwerau Cenhaearn," meddai Berin. "Mae hud sy'n amddiffyn yn beth prin iawn, meddai o."

"Dyna ydi'r pŵer?" holodd Twm.

Nodiodd Berin. "Fe drodd hi'r tân yn oer a dy atal di rhag tagu ar y mwg. Efallai ei bod hi'n gallu gwneud mwy hefyd."

"Os na fyddai hi wedi ..." dechreuodd Twm. Llyncodd ei boer. "Dwi'm yn gwybod

134

be fyddai wedi digwydd i Mam a Tada. Cenhaearn achubodd nhw."

Gwenodd Berin. "Mae'r pwerau sydd gan ddraig wedi eu cysylltu efo'i dreigydd. Oddi wrthot ti y daethon nhw. Fe wnaeth y ddau ohonoch chi eu hachub nhw, Tomos."

Meddyliodd Twm am hynny. Roedd yn deimlad braf.

"Ac fe wnest ti gadw Cenhaearn yn ein byd ni." Edrychodd Berin arno. "Wyt ti wedi penderfynu?"

"Do." Cofiodd Twm am siâp anhygoel Cenhaearn ac am ei phatrymau melyn ac oren fel fflamau. Cofiodd am yr efail a'i gartref a Mam a Tada. "Dwi'n dewis y ddau."

Edrychodd Berin arno'n syn.

Cododd Twm ei ysgwyddau. "Pan ddaeth Cenhaearn, a phan oedd hi angen i mi ei chadw

hi yn y byd yma, mi fedrwn i ei synhwyro hi a fy rheini yr un pryd." Ysgydwodd ei ben. "Fedra i ddim esbonio'r peth yn iawn ond falla .... falla fod 'na wastad le. Falla'r mwya yn y byd o bethau mae rhywun yn eu rhoi yn ei galon, mwya yn y byd o le sydd ynddi."

"Hmm," meddai Berin gan feddwl. "Wyddost ti, Twm, dwi'n meddwl bod Cenhaearn yn llygad ei lle pan ddewisodd hi ti."

Cyrhaeddodd y ddau yr hen ddinas wrth i'r haul fachlud, gan daflu golau cochlyd a chysgodion hir dros y lle.

Ar ôl sbel, dywedodd Twm, "Mi welais i rywbeth y noson honno. Draig."

Craffodd Berin arno. "Do ...?"

"Mi es i a Cenhaearn ar ei hôl hi, ond wnaeth hi ddianc wrth ymyl y palas." Oedodd

Twm cyn dweud, "Hi ddechreuodd y tân, dwi'n meddwl."

Cerddodd y ddau heb ddweud gair wedyn.

"Nid un o'n dreigiau ni oedd hi," meddai Berin o'r diwedd. "Fedra i ddim dweud wrthot ti eto beth yn union sydd ar fin dod, ond mae rhywbeth am ddigwydd yn fuan iawn. Storm o frwydr arall, o bosib ... Fe fydd yn rhaid i ni geisio dysgu popeth gallwn ni tan hynny. Fe fydd yn rhaid bod yn wyliadwrus. Dwi wedi gofyn i Crydlwyn ymchwilio i'r mater."

Cofiodd Twm weld Crydlwyn yn gynharach. Dyna pam ei fod o'n siarad gyda'r ffigwr yn y cysgodion, mae'n rhaid. Roedd Crydlwyn i'w weld yn flin iawn – oedd o'n gwybod byddai'r ddraig yn ymosod? Ysgydwodd Twm ei ben. Roedd o'n amau nad oedd Berin a Crydlwyn yn dweud popeth wrtho, ond byddai'n

rhaid iddo ymddiried ynddyn nhw am y tro.
Roedd o'n ymddiried yn Berin ac roedd hi'n
ymddiried yn Crydlwyn ...

Crwydrodd y ddau drwy strydoedd y ddinas
nes cyrraedd y drws. Arweiniodd Berin Twm
i mewn a chlywodd synau rhyfedd y cogiau'n
troi eto a theimlo'r coridorau'n crynu o dan ei
draed nes iddyn nhw ddod at Neuadd Urdd y
Dreigyddion.

Oedodd Berin. "Tomos ... does dim rhaid i
ti ddod yn ôl. Ti'n deall hynny, dwyt?"

"Ydw."

Edrychodd Twm o'i gwmpas ar y caeau
ymarfer a'r cytiau a gwenu. "Ond fan hyn
ydi'r lle i mi. Dwi'n ddreigydd, tydw?"

Gwenodd Berin yn ôl.

Wrth iddyn nhw ddod at gwt Twm daeth y
plant eraill allan ar garlam.

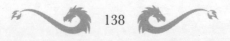

Tomos a Cenhaearn

"Twm!"

"Lle ti 'di bod?"

"Glywson ni fod 'na dân mawr!"

"Oedd 'na gwffas? Fuest ti'n cwffio?"

Daeth hyd yn oed Cara, y ferch ddistaw, at y drws a sefyll yno. Pan sylwodd Twm arni, oedodd cyn nodio'n sydyn. Nodiodd Twm yn ôl.

"Do," meddai. "Wel, naddo, nes i ddim cwffio ond wnes i fynd ar ôl draig arall a ..."

Trodd at Berin. "Ga i ei galw hi?"

Gwenodd Berin. "Wrth gwrs!"

Caeodd Twm ei lygaid. Roedd hi mor hawdd erbyn hyn. Cofiodd y tân, a gweld wyneb Cenhaearn a theimlo unwaith eto'r gilfach yn ei galon oedd yn eiddo iddi hi ...

"Cenhaearn!" gwaeddodd y plant yn hapus.

Trodd Twm, a dacw hi efo'i chroen coch

tywyll a'r llinellau oren a melyn bob sut.

"A ..." oedodd Connor. "Fedrith hi aros?"

"Am faint fynnith hi," atebodd Twm â gwên.

"Gei di ddod i hyfforddi efo ni," meddai Cai, "a dysgu sut mae hedfan!"

Gwenodd Twm a Cenhaearn ar ei gilydd. Cododd Twm ei hun ar ei chefn a chwyrnodd Cenhearn yn hapus ac ysgwyd drosti i gyd.

"Fydd dim rhaid i ni ddŵad i'r wers honno!" meddai.

Plygodd Cenhaearn ei choesau ôl a thynhau fel sbring cyn neidio i'r awyr.

A hedfanodd y ddau fry.

Beth am gael cip
sydyn ar y llyfr nesaf
yn y gyfres?

CARA A SLEIFARIAN

Y LLEIDR BACH

Yng nghrombil dudew nos heb leuad, dringai merch ifanc waliau'r palas.

Safai'r palas ar graig hynafol a oedd yn codi 'mhell, bell uwchben dinas Creigfa. Roedd y waliau wedi eu hadeiladu o gerrig llyfn, llwyd a doedd yna fawr o le i afael arnyn nhw wrth ddringo, ond symudai'r ferch yn hyderus, heb boeni am y gwacter mawr oddi tani.

Gwasgodd ei dwylo i hollt rhwng dwy garreg a thynnu'i hun i fyny, gan roi ei thraed

ar rimyn tenau o graig. Estynnodd yn ofalus am y hollt nesaf.

Aros.

Daeth y llais o'r tu mewn i'w phen yn rhywle. Doedd ganddi ddim syniad sut, na llais pwy oedd o, ond roedd hi wedi ei glywed ar hyd ei hoes. Y llais oedd ei hunig ffrind ac roedd hi'n ymddiried ynddo. Arhosodd yn stond. Uwch ei phen, gwthiodd milwr ei ben dros ochr y wal gan syllu i lawr ar y ddinas, â golwg wedi diflasu arno. Arhosodd y ferch yn llonydd fel cysgod, a'i chlogyn llwyd golau yr un lliw yn union â'r cerrig o'i chwmpas. Wnaeth hi ddim symud gewyn. Trodd y milwr a chrwydro i ffwrdd.

Nawr, meddai'r llais eto.

Daliodd ati i ddringo nes iddi ddod at ffenest gul tua hanner ffordd at ben y wal. Gwasgodd drwyddi a glanio'n dawel mewn coridor. Doedd neb o gwmpas. Winciodd golau diog ffagl yn un pen o'r coridor ac roedd drws pren cadarn yr olwg yn y cysgodion y pen arall.

Tynnodd ei chlogyn a'i stwffio i'r bag ar ei chefn. Pe bai rhywun yn gwylio – a doedd neb, diolch byth – bydden nhw wedi gweld merch fer, denau â gwallt melyn golau ariannaidd a wyneb main, difrifol yr olwg. Gwisgai ddillad tywyll, brith fel cysgodion yn symud. Sleifiodd at y drws a gwrando am ennyd, yna cododd y glicied yn araf araf, a llithro i mewn.

Y tu draw roedd mwy o goridorau, rhai'n dywyll ac eraill wedi eu goleuo gan ffaglau. Symudodd y ferch yn wyliadwrus. Ciliodd yn sydyn i'r cysgodion wrth i forwyn frysio heibio. Yn y rhan hon o'r palas roedd carped coch trwchus ar y llawr a llosgai ffaglau mewn cilfachau yn y waliau.

Ar y chwith, meddai'r llais.

Oedodd y ferch. Roedd rhai o'r cerrig yn y wal o'i blaen fymryn yn oleuach eu lliw na'r lleill. Teimlodd o gwmpas ymylon y darn nes yr oedd hi'n siŵr ac yna gwthio un garreg ...

... a llithrodd y wal tuag allan gan ddatgelu llwybr cudd.

Newidiodd ei hwyneb ddim. Sleifiodd i'r tywyllwch o'i blaen gan ymbalfalu drwyddo nes iddi gyrraedd drws arall a'i agor. Camodd i'r ystafell y tu draw iddo.

Roedd yn llachar, a sgleiniai popeth o'i chwmpas. Roedd golwg ddrud iawn ar yr ystafell, a phob modfedd o'r waliau wedi eu gorchuddio mewn metel drud, pren tywyll a chrisial. Roedd paneli brodwaith prydferth yma a thraw ac edau aur yn pefrio ynddyn nhw. Yng nghanol yr ystafell roedd gwely pedwar postyn anferthol.

Dyma ni, meddai'r llais. *Ystafell wely frenhinol y Brenin Gwgon ei hun!*

Syllodd y ferch o'i chwmpas yn gegagored.

Siapia hi, mi fydd yn rhaid i ni fod yn sydyn.

Cerddodd ar flaenau'i thraed ar draws yr ystafell at fwrdd ymbincio ac arno goblyn o ddrych mawr.

Mae o'n hoff o edrych arno'i hun, tydi?

Gwenodd y ferch a chymryd golwg drwy'r droriau. Roedd un yn llawn jariau bychain o bowdwr a phersawr; un arall yn orlawn o hancesi poced lês a phatrymau arnyn nhw. Roedd un arall yn llawn papurau, cwyr a stamp swyddogol y brenin.

Ond roedd un wedi ei gloi. Tynnodd y ferch ddau bìn o'i gwallt a'u defnyddio i deimlo'r tu mewn i'r clo yn raddol bach. Yna rhoddodd dro sydyn iddyn nhw a chliciodd y clo. Llithrodd y drôr ar agor ... ac ebychodd y ferch!

Roedd y tu mewn i'r drôr wedi ei orchuddio gan felfed coch, trwchus ac roedd popeth ynddo'n sgleinio: modrwyau aur ac arian, mwclis aur, cadwyn o berlau, pinnau cain a phrydferth wedi eu cerfio i edrych fel anifeiliaid a cherrig drudfawr wedi eu gosod ynddyn nhw, darnau arian blith draphlith ym mhob man ... ac yn y canol, ar glustog fach, eisteddai broets aur fawr a diemwnt anferthol yn ei chanol.

Dyna hi!

Yn ofalus iawn, gafaelodd y ferch yn y froets

a syllu arni. Octagon oedd ei siâp, ac wyth ochr euraid yn ffrâm o gwmpas y diemwnt a befriai fel seren. Roedd rhywbeth yng nghanol y diemwnt – wedi ei beintio odano, efallai? O graffu, gallai hi weld llygad wedi ei pheintio'n gelfydd tu hwnt, ond yn ffyrnig ac yn greulon hefyd, rywsut. Nid llygaid ddynol; un cath neu flaidd neu ...

Dwi ddim yn hoffi hwnna o gwbl.

"Be?" meddai'r ferch yn syn. "Dim ond llun ydi o."

Mae'n codi cryd arna i.

Wfftiodd y ferch ac edrych ar y froets eto – a symudodd y llygad.

"Aaa!" gwaeddodd, a'i gollwng. Edrychodd y llygad o'i chwmpas, yna cau ac agor! Yn sydyn, dechreuodd cloch groch ganu yn y coridor y tu allan.

Dyna'r larwm! Llongyfarchiadau ...

"Mi symudodd y llygad!" hisiodd.

Wn i! Anghofia amdano fo! Tyrd!

Erbyn hyn, roedd synau eraill y tu allan – pobl yn gweiddi a rhedeg. Brysiodd y ferch yn ôl at y wal bellaf a thrwy'r twnnel dirgel, gan ei gau y tu ôl iddi'n union wrth i ddrws yr ystafell agor.

Baglodd hi drwy'r coridor tywyll gan geisio'i gorau i fod yn ddistaw. Fydden nhw'n gwybod am y fynedfa gudd? Cyrhaeddodd y pen draw a gwthio'r drws ar agor y mymryn lleiaf. Roedd y coridor yn wag a brysiodd yn ôl yr un ffordd ag y daeth hi, gan lusgo'r clogyn a'r rhaff ddringo o'i bag. Roedd milwyr ar hyd y wal erbyn hyn, pob un yn dal llusern ac yn syllu'n filain o'u cwmpas.

Fedrwn ni ddim mynd y ffordd yna, fe gawn ni'n gweld!

Teimlodd y ferch banig yn codi o bwll ei stumog.

"Falla ..."

Daeth sŵn sgidiau hoelion mawr fel taranau y tu ôl iddi. Mwy o filwyr! Rhedodd nerth ei thraed at ben mwyaf golau y coridor, ac yn ôl i ddyfnderoedd y palas.

Be wnawn ni?

Brysiodd yn ei blaen gan edrych o'i chwmpas. Roedd ystafelloedd bob ochr iddi. Fyddai hi'n gallu cuddio yn un ohonyn nhw? Canodd y clychau eto a gwaeddodd milwr, "Edrych di y ffordd acw!" Daeth sŵn traed yn nes ac yn nes.

Be WNAWN ni, Cara?

Yna saethodd llaw mewn maneg ddu o'r tu ôl i un o'r drysau a chau am ei cheg. Cafodd ei llusgo am yn ôl. Caeodd y drws yn glep. Roedd rhywun yn ei dal mor dynn fel na fedrai symud modfedd. Sibrydodd llais yn gras yn ei chlust.

"Bydd ddistaw!"